फ़िल्म सफ़र : कल और आज

फ़िल्म सफ़र : कल और आज

डॉ. सुमा एस

वाणी प्रकाशन

वाणी प्रकाशन

4695, 21-ए, दरियागंज, नयी दिल्ली 110 002

फ़ोन : +91 11 23273167 फ़ैक्स : +91 11 23275710

शाखाएँ

अशोक राजपथ, पटना 800 004, बिहार

कॉफ़ी हाउस कैम्पस, महात्मा गांधी मार्ग, इलाहाबाद 211 001, उत्तर प्रदेश

महात्मा गांधी अन्तरराष्ट्रीय हिन्दी विश्वविद्यालय, वर्धा 442 001, महाराष्ट्र

www.vaniprakashan.com
marketing@vaniprakashan.in
sales@vaniprakashan.in

Film Safar : Kal aur Aaj
by Dr. Suma S
ISBN : 978-93-5518-368-2
Cinema/History

प्रथम संस्करण 2022

मूल्य : ₹ 100

सिटी प्रेस, दिल्ली-110 095 में मुद्रित

वाणी प्रकाशन का लोगो मक़बूल फ़िदा हुसेन की कूची से

अनुक्रम

फ़िल्म का इतिहास 7

चलचित्र 7

अमेरिका के हेनरी रेनो हेल 7

एडवर्ड मे ब्रिज 8

विलियम फ्रीस ग्रीन 8

थोमस अल्वा एडिसन 9

लुमियर ब्रदर्स 10

पहला स्थायी थिएटर 11

हॉलीवुड का जन्म 12

डेविड वार्क ग्रिफ़िथ 12

विभिन्न प्रकार की फ़िल्में 13

त्रि-आयामी फ़िल्म 15

द पॉशन ऑफ़ जोआन ऑफ़ आर्क 19

द साउंड ऑफ़ म्यूज़िक 20

भारत का फ़िल्मी इतिहास 22

हिन्दी सिनेमा प्रारम्भिक युग 22

हीरालाल सेन 22

दन्तिराज गोविन्द फाल्के 24

सेंसर बोर्ड 26

भारत की पहली ध्वनि फ़िल्म 26

विकास के चरण 27

बॉलीवुड 29

भारतीय सिनेमा 70 से अब तक 32
प्रमुख फ़िल्मी हस्तियाँ / प्रमुख निर्देशक 37
प्रमुख अभिनेता 50

फ़िल्म समीक्षा 74
पा 75
रावण 78
लगान 80
दो आँखें बारह हाथ 82
दो बीघा ज़मीन 82
बावर्ची 82

फ़िल्म का इतिहास

सिनेमा मानव इतिहास के सबसे आश्चर्यजनक आविष्कारों में से एक है। फ़िल्म के पीछे का इतिहास दिलचस्प है। शुरुआती दिनों में जो लोग सिनेमा दिखाने आते थे उन्हें पागल और चुड़ैल कहकर भगा देते थे। सफ़ेद कपड़े पर चलती हुई आकृतियों को देखकर लोग उन्हें शैतान समझने लगे थे। फिर, फ़िल्म बहुत बढ़ी और लोकप्रिय हुई। आईये जानते हैं सिनेमा के इतिहास की वे रोचक बातें जो आज भी हमें हैरान करती हैं।

फ़ोटोग्राफ़ी के आविष्कार के बाद, मनुष्य का लक्ष्य चलती-फिरती छवियाँ बनाना रहा था। 17वीं शताब्दी के उत्तरार्ध में यह विचार आया कि यदि अचल छवियों को प्रेषित किया जा सकता है तो चलती छवियों को प्रेषित करना भी मुमकिन है। किसी गतिमान वस्तु की छवि आँख पर पड़ने में एक सेकेंड का चौबीसवाँ हिस्सा लगता है। इसी वैज्ञानिक सोच का नतीजा है वर्तमान सिनेमा।

चलचित्र

अमेरिका के हेनरी रेनो हेल (Henry Renno Heyl) ने सबसे पहले छवियों को गतिशील रूप में प्रस्तुत करने का प्रयास किया था। एक आदमी की विभिन्न छवियों को एक-एक करके डिस्क पर फिट किया गया और सफ़ेद कपड़े पर प्रस्तुत किया गया। जैसे ही ये चित्र परदे पर दिखाये गये, एक व्यक्ति नाचता हुआ दिखाई दिया। यह 1870 में था। हालाँकि, सार्वजनिक रूप से फ़िल्म की स्क्रीनिंग करने वाले रेनो हेल को दर्शकों से उचित

प्रतिक्रिया नहीं मिली। लोग इसे पागलपन और जादू-टोना कहने लगे। इस तरह पहले फ़िल्मी प्रदर्शन की कोशिशें नाकाम रहीं।

एडवर्ड मे ब्रिज (Eadweard Muy bridge)

ब्रिटेन के एडवर्ड मे ब्रिज ने रेनो हेल द्वारा शुरू किये गये प्रयोग को जारी रखा। बचपन से ही उन्हें फ़ोटोग्राफ़ी का शौक था। एक बार घुड़दौड़ में रुचि रखने वाले लॉर्ड लीलैंड स्टै फोर्ड (Leland Stanford) ने एडवर्ड के सामने अपनी एक इच्छा ज़ाहिर की। घोड़े के दौड़ते वक़्त एक क्षण ऐसा आता है जब उसके चारों पैर ज़मीन को नहीं छूते। प्रभु ने एडवर्ड से उस ख़ास क्षण की फ़ोटो खिंचवाने के लिए कहा। कई कोशिशों के बाद एडवर्ड ने 24 कैमरों से 24 तस्वीरें लीं। तब उन्हें भी समझ आया कि घोड़े के पैर किसी ख़ास क्षण में ज़मीन को नहीं छूते

हैं। हालाँकि, जब एडवर्ड ने इन सभी छवियों को एक स्क्रीन पर पेश किया, तो घोड़ा भागता हुआ दिखाई दिया। फ़िल्म निर्माण का यह दूसरा पड़ाव था।

विलियम फ्रीस ग्रीन (William Friese & Greene)

सेल्युलाइड का आविष्कार विलियम फ्रीसग्रीन ने किया था, जिनका जन्म 1855 में ब्रिटेन में हुआ था। शुरुआत में वे काँच के काग़ज़ों पर तस्वीरें छापा करते थे। नये-नये प्रयोग करने के लिए विलियम ने अपने सारे पैसे खर्च किये और बड़े क़र्ज़दार बन गये। सेल्युलाइड

का आविष्कार करने के प्रयास में उन्हें अपना कैमरा तक बेचना पड़ा। क़र्ज़ में डूबकर उन्हें आख़िर जेल भी जाना पड़ा था। उनके द्वारा विकसित सेल्युलाइड का एक उन्नत रूप ही आज की फ़िल्म है। इसीलिए विलियम फ्रीस ग्रीन को सिनेमा के प्रारम्भिक छायाकार मानते हैं। वह कैमरा जिसे उन्हें बेचना पड़ा, वह अभी भी लन्दन के राष्ट्रीय संग्रहालय में रखा हुआ है। 1889 में उन्होंने पहली बार अपनी फ़िल्मों को दर्शकों के सामने पेश किया। इस बार दर्शकों की प्रतिक्रिया सकारात्मक थी।

थोमस अल्वा एडिसन (Thomas Alva Edison)

फ्रीजग्रीन के प्रयोग को थॉमस अल्वा एडिसन ने जारी रखा। जिस सिनेमा को हम आज देख रहे हैं उसकी तकनीक को विकसित करने में एडिसन ने महत्त्वपूर्ण भूमिका निभाई थी। 1891 तक, उन्होंने काइनेटोस्कोप (Kinetoscope) नामक एक कैमरा भी विकसित कर लिया था। बाद में एडिसन ने आवाज़ रिकॉर्डर (Voice Recorder) का भी आविष्कार किया था। एडिसन की इस मशीन द्वारा एक समय में केवल एक ही व्यक्ति ध्वनि और चित्र सुन और देख सकता था। इसमें उन्होंने अपने एक प्रयोगकर्ता की छींक को सबसे पहले रिकॉर्ड किया था। एडिसन के इस मोशन पिक्चर कैमरा काइनेटोस्कोप के लिए पेटेंट कर दिया गया था। उन्होंने इलेक्ट्रोमैकेनिकल डिज़ाइन (Electromechanical design) किया जबकि उनके कर्मचारी विलियम कैनेडी डिक्सन नामक

फ़ोटोग्राफ़र ने फ़ोटोग्राफ़िक और ऑप्टिकल विकास पर काम किया। आविष्कार का अधिकांश श्रेय डिक्सन को है। काइनेटोग्राफ़ और काइनेटोस्कोप दोनों को पहली बार 20 मई, 1891 को सार्वजनिक रूप से प्रदर्शित किया गया था।

लुमियर ब्रदर्स (Lumière brothers)

सिनेमा के इतिहास में लुमियर ब्रदर्स की भूमिका अनुपम है। सबसे पहले सामान्य जनता के सामने फ़िल्म प्रदर्शन करने का श्रेय लुमियर भाइयों को ही जाता है। इनमें बड़े भाई अगस्टे लुमियर (Auguste Lumière) का जन्म 19 अक्टूबर, 1862 को फ्रांस के बेसनन में हुआ था। छोटे भाई लुईस लुमियर (Louis Lumiere) का जन्म 5 अक्टूबर, 1864 को हुआ था। दोनों ने स्पेन के लियोन के प्रसिद्ध तकनीकी स्कूल ला मार्टिनेनियर में प्रशिक्षण लिया था। उनके पिता, क्लाउड एनेरेन लुमियर, एक फ़ोटोग्राफ़िक फ़र्म चलाते थे। इससे फ़ोटोग्राफ़ी में उनकी रुचि बढ़ी और धीरे-धीरे दोनों उसमें काफ़ी प्रवीण भी हुए। कैमरों और प्रोजेक्टर के साथ प्रयोग करते हुए, उन्होंने एक फ़िल्म प्रदर्शनी शैली तैयार की जिसे एक साथ कई लोग देख सकते थे। उन्होंने इसे सिनेमैटोग्राफ़ कहा। 13 फ़रवरी, 1895 को लुमियर ब्रदर्स ने अपने सिनेमैटोग्राफ़ का पेटेंट कराया। इसका इस्तेमाल करके उन दोनों ने सबसे पहले फैक्ट्री

से मज़दूरों के बाहर आने के सीन फ़िल्माये। यह 19 मार्च, 1895 की बात है। 28 दिसम्बर, 1895 को लुमियर ब्रदर्स ने पेरिस में अपनी पेंटिंग की पहली सार्वजनिक प्रदर्शनी आयोजित की। उस दिन 10 लघु फ़िल्में दिखाई गयीं। उन्होंने एक स्टेशन पर ट्रेन के आने का एक दृश्य भी दिखाया। यह देखकर लोग डर गये। लोगों ने सोचा कि ट्रेन उनकी तरफ़ आ रही है और इधर-उधर भागने लगे थे।

पहला स्थायी थिएटर

पहला स्थायी थिएटर अमेरिकी शहर न्यूकैसल में स्थापित हुआ। द कैस्केड नाम के इस थिएटर का निर्माण वार्नर ब्रदर्स ने किया था। 1905 में मोशन पिक्चर्स की प्रदर्शनी के लिए दुनिया का पहला थिएटर 'निकेलोडियन' (Nickelodeon)

खुला, जिसे हैरी डेविस ने, पिट्सबर्ग, पेनसिल्वेनिया में एक ख़ाली दुकान में खोला था।

हॉलीवुड का जन्म

1909 तक कई व्यक्ति चलचित्र प्रदर्शन के साथ आगे बढ़ रहे थे। तभी एडिसन ने अपना एक बयान जनता के सामने रखा। उन्होंने कहा कि वे ही सिनेमा नामक माध्यम के वारिस यानी patenter हैं और इसलिए ही इसे पेश करने वालों को उन्हें हिस्सा या रॉयल्टी देना चाहिए। कई फ़िल्मकारों ने इसका विरोध किया, पर एडिसन के एजेंटों ने विरोध करने वालों का सामना किया। फ़िल्मांकन बाधित होने लगा और कई लोगों ने न्यूयॉर्क छोड़ने का फ़ैसला किया। उनमें एक समूह लॉस एंजिलिस (Los Angeles) के पास 'कवेंगा' नामक गाँव में पहुँचा। उस गाँव के एक फार्म का नाम हॉलीवुड था। फ़िल्मकारों ने वहाँ अपना डेरा जमाया। इस तरह हॉलीवुड 1910 तक अमेरिकी सिनेमा का केन्द्र बन गया था।

डेविड वार्क ग्रिफ़िथ (David Wark Griffith)

न्यूयॉर्क के डेविड वार्क ग्रिफ़िथ उन प्रयोगवादियों में उल्लेखनीय हैं जिन्होंने पहली बार एक लक्षण युक्त फ़िल्म बनायी। फ़िल्म उपकरण कारख़ाने के एक कर्मचारी थे ग्रिफ़िथ। वे इस क्षेत्र में कई बदलाव लाये। पटकथा को सिनेमा का अंग बनाने का श्रेय भी उनको जाता है। 1914 में ग्रिफ़िथ द्वारा पहली दो-रील वाली फ़िल्म बनायी गयी जिसका नाम था 'द बर्थ ऑफ़ ए नेशन' (The Birth of a Nation)।

यह फ़िल्म विश्व सिनेमा के इतिहास में एक मील का पत्थर साबित हुआ और तकनीकी ख़ूबियों के लिए इसकी सराहना की गयी। यह व्हाइट हाउस (White House) के अन्दर प्रदर्शित होने वाली पहली मोशन पिक्चर थी, जिसे राष्ट्रपति वुडरो विल्सन, उनके परिवार और उनके मन्त्रिमण्डल के सदस्यों ने वहाँ देखा था। डेविड वार्क ग्रिफ़िथ ने 'आफ्टर मैनी ईयर्स', 'द लोनली विला' और 'न्यूयॉर्क हैट' जैसी कई फ़िल्मों का निर्माण किया। उन्होंने फेड इन, फेड आउट, डिसॉल्व और क्लोज़ अप जैसी तकनीकों का आविष्कार किया। विश्व सिनेमा में नये बदलावों के जनक हैं डेविड वार्क ग्रिफ़िथ जिन्होंने दो प्रोजेक्टरों का उपयोग करके अपनी तीन घंटे लम्बी फ़िल्म इंटोलेरेंस (Intolerance) का प्रदर्शन किया। उनकी फ़िल्में सुसंगत कथा की मूल बातें स्थापित करने वाली थी और जिसे 'फ़िल्म व्याकरण' के रूप में जाना जाने लगा था। आख़िर क़र्ज़ में डूबकर ग्रिफ़िथ ने फ़िल्मी उद्योग छोड़ दिया और 1948 में ग्रिफ़िथ की मृत्यु हो गयी। सूत्रों के मुताबिक़ उन्होंने 1908 और 1931 की अवधि में तकरीबन 518 फ़िल्मों का निर्देशन किया था।

ऐसे प्रतिभाशाली कलाकारों से ही हमें फ़िल्मी दुनिया का आस्वादन करने का सौभाग्य मिला।

विभिन्न प्रकार की फ़िल्में

सिनेमा के विभिन्न रूप हैं, जैसे–वृत्तचित्र, फीचर फ़िल्में, न्यूज़ रील, ह्रस्व फ़िल्म आदि।

वृत्तचित्र फ़िल्में–फ़िल्म पर वास्तविक जीवन को क़ैद करने के उद्देश्य से वृत्तचित्र फ़िल्में सामने आयीं। अर्थात वास्तविकता का रचनात्मक आविष्कार है वृत्तचित्र। रॉबर्ट जोसेफ फ्लेहर्टी (Robert Joseph Flaherty) एक अमेरिकी फ़िल्म निर्माता थे, जिन्होंने पहली बार व्यावसायिक रूप से सफल लम्बी डॉक्यूमेंट्री फीचर फ़िल्म नैनुक ऑफ़ द नॉर्थ (Nanook of the North) (1922) का निर्देशन और निर्माण किया था। उन्होंने वृत्तचित्र के क्षेत्र में कई बदलाव किये हैं। 'नैनूक ऑफ़ द नॉर्थ' का कथानक एस्किमो का दयनीय जीवन था। उत्तरी ध्रुव में आर्कटिक क्यूबेक में बुटसन खाड़ी के तट पर बर्फ़ की भूमि पर फँसे एक एक्सिमो परिवार पर आधारित यह फ़िल्म मानव जीवन के सार की खोज करती है।

शॉर्ट फ़िल्में–डॉक्यूमेंट्री और शॉर्ट फ़िल्म में ज्यादा अन्तर नहीं है। वृत्तचित्र वास्तविकता को व्यक्त करने की कोशिश करता है। लघु फ़िल्म काल्पनिक तत्त्वों

को भी जोड़ती है। प्रारम्भिक फ़िल्में सब लघु फ़िल्में थीं। तीस मिनट से कम समय की फ़िल्में शॉर्ट फ़िल्में हैं।

मूक सिनेमा–पहली फ़िल्म के जन्म के बाद तीस साल तक मूक सिनेमा का युग था।

एनिमेटेड फ़िल्म– एनिमेटेड फ़िल्में ऐसी फ़िल्में होती हैं जो कार्टून फिगर्स, स्केच और स्टिल फिगर को मूविंग फिगर्स में बदलकर कहानी और विचार को व्यक्त करती हैं। प्रारम्भ में इसे मनोरंजन के साधन के रूप में विकसित किया गया था, अब इसका उपयोग वैज्ञानिक ज्ञान के दृश्य प्रस्तुति (Visualisation) और विज्ञापन जैसे कार्यक्रमों के लिए किया जाता है। यह तकनीक, जो फ़िल्मों में प्रचलित थी, अब ज़्यादातर टेलीविजन शो में उपयोग की जाती है।

एनिमेशन (Animation)– जब सिनेमैटोग्राफ़ी पेश की गयी थी, उसमें एनिमेशन लाने में फ़िल्म निर्माता उतने सजग नहीं थे। एनिमेशन को सिनेमाघरों में भूमिका निभाने में एक दशक से अधिक समय लग गया था। दुनिया की पहली एनिमेटेड फीचर फ़िल्म 'एल अपोस्टोल' (El Apostol) (1917) थी,

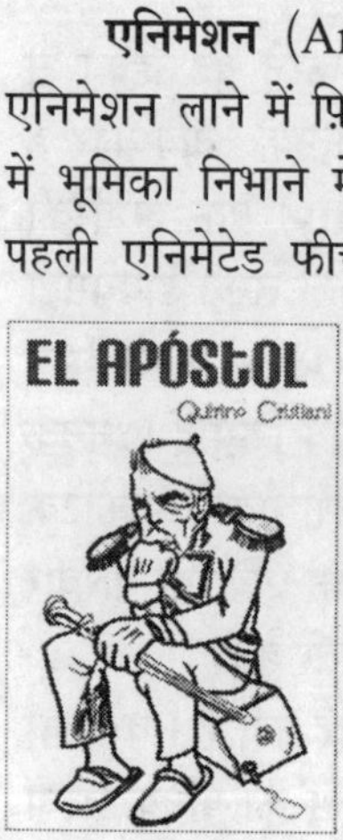

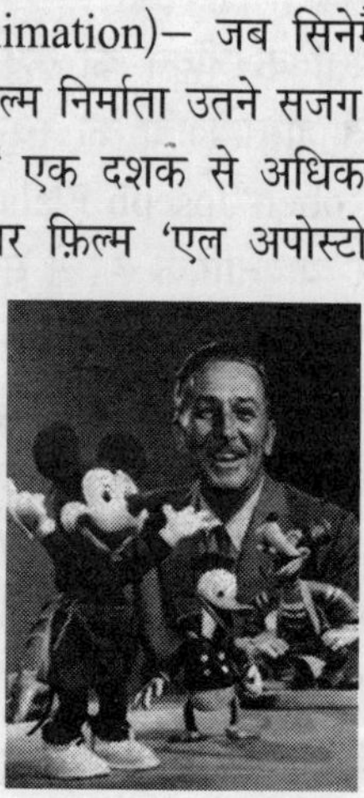
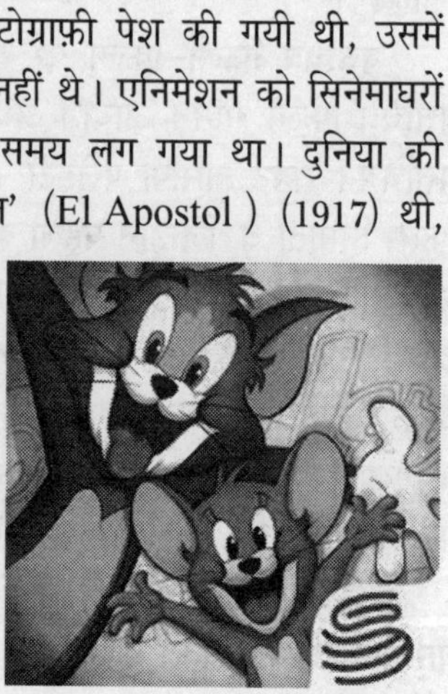

जिसे इतालवी-अर्जेंटीना कार्टूनिस्ट क्विरिनो क्रिस्टियानी (Quirino Cristiani) ने कटआउट एनिमेशन का उपयोग करके बनाया था।

फ़िल्मों के उद्भव से बहुत पहले, कार्टून चलती छवियों के रूप में दिखाई देने लगे थे। 1907 में पहली बार 'फ्रांसीसी कार्टूनिस्ट और फ़ोटोग्राफ़र एमिल कोहल द्वारा रिलीज़ की गयी कार्टून फ़िल्मों की लोकप्रियता ने ऐसी छवियों की एक स्थिर धारा को जन्म दिया। वॉल्ट डिज़्नी (Walt Disney) के प्रवेश ने एनिमेशन सिनेमा के क्षेत्र में आश्चर्यजनक परिवर्तनों का अवसर प्रदान किया। 1921 से 1940 की अवधि के दौरान, डिज़्नी मिकी माउस और डोनाल्ड डक जैसे कार्टून चरित्रों द्वारा अभिनीत कई फ़िल्मों का निर्माण करके क्षेत्र में एक दिग्गज बन गया।

त्रि-आयामी फ़िल्म (3D Film)

लाल और नीले रंग की दोहरी छवियों को उन्हीं रंगों के दर्पणों के माध्यम से देखकर त्रि-आयामी भ्रम पैदा करने का प्रयास 1858 में जे.सी. डी'अल्मीडिया (J.C. D'Almedia) नामक एक शोधकर्ता द्वारा प्रस्तुत एक खोज के साथ हुआ। 1922 में, हैरी एफ. फेयरल (Hary F.Fairall) इस तकनीक को फ़िल्म में लाने में सफल रहे। लॉस एंजिल्स में खुली पहली 3 डी फ़िल्म 'द पावर ऑफ़ लव' को दर्शकों ने पोलेरॉइड चश्मे (Polaroid Glasses) से देखा। 1953 से, साठ त्रि-आयामी फ़िल्में (3D Film) रिलीज़ हुई हैं, लेकिन इसका क्रेज धीरे-धीरे कम हो गया है। फ़िल्म देखते समय आँखों की थकान और चश्मा पहनने की असुविधा ने दर्शकों को 3डी फ़िल्मों से दूर रखा। इसके साथ, फ़िल्म निर्माण सार्वभौमिक 35 मिमी, 70 मिमी और सिनेमास्कोप तक ही सीमित रहा।

डिजिटल सिनेमा–अब एक नयी तकनीक सामने आयी है जिससे फ़िल्म पर शूट किये गये दृश्यों को कंप्यूटर डिस्क पर संख्याओं के समूह के रूप में

संगृहीत कर सकती है, और जब आवश्यक हो, तो उन नम्बरों को छवियों में वापस परिवर्तित करें और उन्हें फ़िल्म में कॉपी करें। यह तकनीक, जो फ़िल्म और टेप को हटा देती है और दृष्टि और ध्वनि को मात्र संख्याओं में बदल देती है, संख्याओं को बदल सकती है और दोनों के नये रूप बना सकती है। डिजिटल तकनीक किसी फ़िल्म की शूटिंग का पुनरुत्पादन नहीं है, बल्कि इससे दूसरी फ़िल्म का पुनः निर्माण होता है। इसके ज़रिए फ़िल्म को दर्शक के मनचाहे लुक और फील में बदला जा सकता है।

फीचर फ़िल्म–एक फीचर फ़िल्म एक कथात्मक फ़िल्म (मोशन पिक्चर या 'मूवी') है जो एक व्यावसायिक मनोरंजन कार्यक्रम के रूप में पर्याप्त समय तक चलती है। फीचर फ़िल्म शब्द मूल रूप से पूर्ण लम्बाई वाली फ़िल्म को सन्दर्भित करता है। अधिकांश फीचर फ़िल्में 75 और 210 मिनट के बीच लम्बी होती हैं

फ़िल्मी इतिहास के प्रारम्भिक युग में फ़िल्में एक रील से अधिक नहीं थीं, हालाँकि सिनेमा के प्रारम्भिक कुछ वर्षों में ईसा मसीह के जीवन पर कुछ मल्टी-रील फ़िल्में बनायी गयी थीं। दुनिया में पहली लम्बी फीचर मल्टी-रील फ़िल्म 1906 में निकली 'द स्टोरी ऑफ़ द केली गैंग' (The Story of the Kelly Gang) है जो ऑस्ट्रेलियाई प्रोडक्शन की थी।

फ़िल्म अनुकूलन–फ़िल्म अनुकूलन किसी साहित्यिक कृति को पूर्ण या आंशिक रूप से फीचर फ़िल्म के लिए परिवर्तित करना है। सिनेमा के शुरुआती दिनों से ही इस तरह के विविध संसाधनों से अनुकूलित रूप में फ़िल्म निर्माण का एक सर्वव्यापी अभ्यास रहा है। रीमेक बनाने के विपरीत, फ़िल्म निर्देशक आमतौर पर फ़िल्म रूपान्तरण बनाते समय अधिक रचनात्मक स्वतन्त्रता लेते हैं।

बायोपिक फ़िल्म–एक जीवनी पर आधारित फ़िल्म या

बायोपिक एक ऐसी फ़िल्म है जो एक ग़ैर-काल्पनिक या ऐतिहासिक व्यक्ति या लोगों के जीवन का फ़िल्मीकरण होती है। ऐसी फ़िल्में एक ऐतिहासिक व्यक्ति के जीवन को दर्शाती हैं और केन्द्रीय चरित्र के वास्तविक नाम का उपयोग किया जाता है। वे डॉक्यूड्रामा फ़िल्मों और ऐतिहासिक ड्रामा फ़िल्मों से इस मायने में भिन्न हैं कि वे किसी एक व्यक्ति के जीवन की कहानी या कम-से-कम उनके जीवन के ऐतिहासिक रूप से महत्त्वपूर्ण वर्षों को व्यापक रूप से बताने का प्रयास करते हैं।

थ्रिलर फ़िल्म–थ्रिलर फ़िल्म, जिसे सस्पेंस फ़िल्म या सस्पेंस थ्रिलर के रूप में भी जाना जाता है, एक व्यापक फ़िल्म शैली है जो दर्शकों में उत्साह और रहस्य पैदा करती है। विश्व सिनेमा में थ्रिलर फ़िल्मों के निर्माण में अल्फ्रेड हिचकॉक का महत्त्वपूर्ण स्थान है।

इनके अलावा एक्शन फ़िल्म, रोमांटिक फ़िल्म, कोमेडी फ़िल्म जैसे फ़िल्मों के कई श्रेणीकरण भी हैं।

कुछ क्लासिक फ़िल्मों का परिचय प्राप्त किये बिना विश्व सिनेमा के इतिहास की जानकारी पूरी नहीं होगी।

बाईसाइ किल थीव्स–1948 में विटोरियो डी सिका द्वारा निर्देशित इतालवी नवयथार्थवादी फ़िल्म है 'बाईसाईकिल थीव्स'। फ़िल्म एक गरीब आदमी की कहानी बताती है जो अपनी चोरी हुई साइकिल की तलाश में रोम की सड़कों पर भटकता है।

मुख्य पात्र, रिची एंटोनियो को एम्प्लॉयमेंट एक्सचेंज (Employment Exchange) के सामने महीनों के इन्तज़ार के बाद एक अस्थायी नौकरी मिलती है। दीवारों पर पोस्टर लगाने का काम था। उनकी शर्त थी कि जो भी काम में जाना चाहता है उसके पास एक साइकिल होनी चाहिए। एंटोनियो की साइकिल गिरवी रख दी गयी थी। उसकी पत्नी जल्दी से एक समाधान ढूँढ़ती है। घर की चादरें गिरवी रखकर साइकिल वापस ले ली जाती है। काम शुरू करने के कुछ दिन बाद ही साइकिल चोरी हो जाती है।

साइकिल चोरी होने पर नायक काफ़ी निराश हो जाता है और अपने बेटे के साथ मिलकर वह साइकिल खोजने लगता है। इस तलाश में वह कई जगह जाता है, पर साइकिल नहीं मिलती। जब वह पुलिस थाने में शिकायत दर्ज कराने जाता है तो उसका अनुभव एक जर्जर प्रशासनिक व्यवस्था की ओर संकेत

करता है। एंटोनियो जैसे आम आदमी की शिकायत के प्रति अधिकारियों का रवैया घोर उदासीनता का है। आख़िर एंटोनियो और ब्रुनो चोर को खोजने में सक्षम हो जाते हैं, लेकिन उनका वह प्रयास भी विफल हो जाता है क्योंकि वे पुलिस को कोई विश्वसनीय सबूत पेश करने में असमर्थ होते हैं।

हताश एंटोनियो फुटबॉल स्टेडियम के बाहर खड़ी कई साइकिलों में से एक को चुराने की कोशिश करता हैं। लेकिन चोरी करने की कला वह जानता नहीं था, इसलिए जल्दी से पकड़ा जाता है। भीड़ द्वारा उसकी ख़ूब पिटाई हो जाती है और बेटे के सामने उसे अपनी नज़रें झुकानी पड़ती है। बेटे के हाथ पकड़कर गली से आगे बढ़नेवाले नायक का वह दृश्य दर्शकों की आँखों को गीली कर देता है। अपने अनिश्चित भविष्य के अँधेरे की ओर चलनेवाले नायक और उसके परिवार की निराशा के साथ फ़िल्म समाप्त होती है। यह फ़िल्म लुइगी बार्टोलिनी द्वारा लिखित इसी नाम के एक उपन्यास का रूपान्तरण है।

इस फ़िल्म ने क्रिटिक्स और डायरेक्टर्स का ख़ूब ध्यान खींचा है। फ़िल्म ने 1949 में अकादमी मानद पुरस्कार जीता। 1952 में, साइट एंड साउंड्स पत्रिका ने फ़िल्म निर्माताओं और आलोचकों के एक सर्वेक्षण में फ़िल्म को अब तक की सबसे महान फ़िल्म के रूप में वोट दिया।

द पॉशन ऑफ़ जोआन ऑफ़ आर्क (The Passion of Joan of Arc)

'द पैशन ऑफ़ जोआन ऑफ़ आर्क' 1928 में निकली फ्रांसीसी मूक ऐतिहासिक फ़िल्म है जो जोआन ऑफ़ आर्क के परीक्षण के वास्तविक रिकॉर्ड पर आधारित है। फ़िल्म का निर्देशन कार्ल थियोडोर ड्रेयर (Carl Theodor Dreyer) ने किया था और जोआन की भूमिका रेनी जीन फाल्कोनेटी (Renée Jeanne Falconetti) ने निभायी थी। इसे व्यापक रूप से विश्व सिनेमा का एक मील का पत्थर माना जाता है। विशेष रूप से इसके निर्माण, ड्रेयर के निर्देशन और फाल्कोनेटी के अभिनय के लिए, जिसे अक्सर सिनेमा इतिहास में सर्वश्रेष्ठ सूचीबद्ध किया जाता है। फ़िल्म उस समय का सार प्रस्तुत करती है जब जोआन ऑफ़ आर्क इंग्लैंड की बंदी थी।

जोआन एक सत्रह वर्षीय लड़की है जो वादा करती है कि उसे दैवी सन्देश प्राप्त होता है। वह फ्रांसीसी सेना के साथ युद्ध में जाती है, अपने कौशल से युद्ध जीतती है। जब ब्रिटिश सेना से लड़ने के लिए जाती है तो वह पकड़ ली जाती है। क्योंकि उसने अपने दावे से इनकार नहीं किया कि भगवान सीधे उसके साथ संवाद करते हैं। धार्मिक अदालत ने उसे दोषी करार कर दिया और सड़क पर मौत की सज़ा दी गयी। धार्मिक परीक्षण इस फ़िल्म का मूल है। अधिकांश दृश्यों में केवल क्लोज-अप का उपयोग किया जाता है।

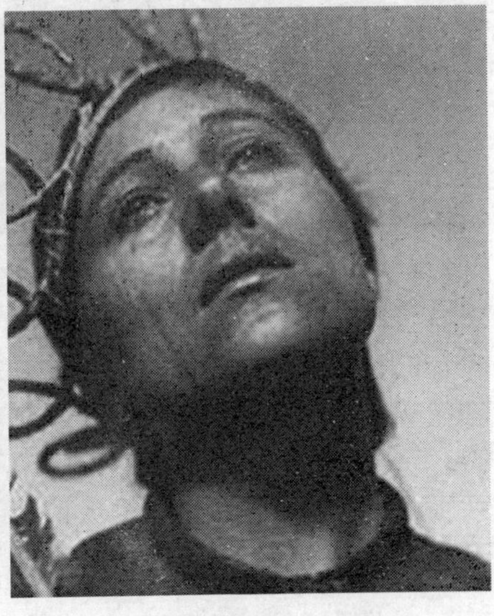

द साउंड ऑफ़ म्यूज़िक (The Sound of Music)

द साउंड ऑफ़ म्यूज़िक 1965 की अमेरिकी म्यूज़िकल ड्रामा फ़िल्म है, जिसका निर्माण और निर्देशन रॉबर्ट वाइज (Robert Wise) ने किया है। फ़िल्म का कथानक एक युवा महिला मारिया के बारे में है जो एक नन (Nun) बनने के लिए अध्ययन कर रही है और 1938 में उसे ऑस्ट्रिया के साल्ज़बर्ग में एक विधुर नौसेना अधिकारी जॉर्ज विक्टर वोन के सात बच्चों की देखभाल के लिए भेजा जाता है। पिताजी के कड़े अनुशासन में पले-बढ़े सात बच्चों के विरस जीवन को मारिया प्यार और संगीत के द्वारा सरस बनाती है। बच्चों को सख्त और कड़े अनुशासन के साथ बड़ा करने की ज़िद करने वाले कप्तान संगीत के ज़रिये उनमें आये सकारात्मक बदलाव को देखकर हैरान हैं। मारिया और जॉर्ज की नज़दीकियाँ प्यार में बदल जाती हैं और दोनों शादी कर लेते हैं। फ़िल्म ने पाँच ऑस्कर जीते और यह अपने समय की सबसे बड़ी वित्तीय सफलता थी।

अपने शुरुआती दिनों में दर्शकों पर फ़िल्म का प्रभाव कितना गहरा था इसकी कल्पना करना भी मुश्किल है। हालाँकि, शुरुआती दौर में दर्शकों के अविश्वास, प्रसन्नता और यहाँ तक कि उनके मन में उत्पन्न भय के बारे में जो रिपोर्ट प्राप्त हैं उनसे पता चलता है कि फ़िल्म देखना कई लोगों के लिए एक ज़बरदस्त अनुभव था। 'रफ सी एट दी डॉवर' जैसी फ़िल्मों में यथार्थवादी चित्रण देखकर दर्शक हाँफते थे और कई बार लोग घबरा जाते थे और थिएटर से भागने की कोशिश करते थे। धीरे-धीरे फ़िल्में लोगों की ज़िन्दगी का भाग बन गयीं।

फ़िल्म निर्माता-निर्देशक भी इस क्षेत्र में नयी-नयी सम्भावनाओं की खोज करने लगे ताकि लोगों को और मनोरंजित कर सकें। 20वीं सदी की शुरुआत तक, सिनेमा एक वैश्विक अनुभव बन गया था। संयुक्त राज्य अमेरिका सिनेमाई ब्रह्माण्ड का केन्द्र बन गया। 1930 के दशक के अन्त और 1940 के दशक की शुरुआत को कभी-कभी सिनेमा के 'स्वर्ण युग' के रूप में जाना जाता है। 1939 तक, फ़िल्म संयुक्त राज्य अमेरिका में 11वाँ सबसे बड़ा उद्योग था, और द्वितीय विश्व युद्ध के दौरान, जब अमेरिकी अर्थव्यवस्था एक बार फिर से फल-फूल रही थी तब दो-तिहाई लोग सप्ताह में कम-से-कम एक बार थिएटर में भाग ले रहे थे।

पिछले 20 वर्षों में, डिजिटल तकनीक में तेज़ी से आये सुधार के प्रभाव से फ़िल्म निर्माण में गहरा बदलाव आया है। अधिकांश मुख्यधारा की प्रस्तुतियों को अब कम्प्यूटर पर किये गये सम्पादन और विशेष प्रभावों के साथ डिजिटल स्वरूपों पर शूट किया जाता है। अन्ततः हम कह सकते हैं कि फ़िल्में हमारी संस्कृति को आकार देनेवाला माध्यम बन चुका है।

भारत का फ़िल्मी इतिहास

हिन्दी सिनेमा प्रारम्भिक युग

लुमियर ब्रदर्स, जिन्हें एक चलती-फिरती तस्वीर दिखाने के कारण अपने देश फ्रांस से भागना पड़ा, जुलाई 1896 में मुम्बई पहुँचे। लुमियर ब्रदर्स को कुछ अंग्रेज़ लोग भारत लाये थे जिन्होंने लन्दन में उनकी तस्वीरें देखी थीं। इस तरह भारत में पहली बार फ़िल्म का मूलरूप स्थापित हुआ। 7 जुलाई, 1896 को भारत में पहली सिनेमा स्क्रीनिंग मुम्बई के वाटसन होटल के डाइनिंग रूम में हुई। एक घण्टे से भी कम समय के अन्दर छह लघु फ़िल्मों का प्रदर्शन किया गया। प्रदर्शन को ज़बरदस्त प्रतिक्रिया मिली और जल्द ही कोलकाता और चेन्नई में फ़िल्म की शूटिंग शुरू हुई।

हीरालाल सेन

लुमियर बन्धुओं द्वारा मुम्बई में फ़िल्म की स्क्रीनिंग के बाद, फ़िल्में भारत में एक सनसनी चीज़ बन गयीं और अगले वर्ष यानी 1898 में एक प्रोफ़ेसर स्टीवेंसन ने कलकत्ता स्टार थिएटर में एक शो का मंचन किया। उस दिन शो देखनेवाले दर्शकों में हीरालाल सेन नामक एक फ़ोटोग्राफ़र भी मौजूद थे। शो का नाम द फ्लावर्स ऑफ़ पर्शिया (The Flowers of Persia) था। हीरालाल शो की तरफ़ काफ़ी आकृष्ट हुए और उनके मन में फ़िल्म बनाने की इच्छा जाग्रत हुई। उन्होंने स्टीवेंसन से अपनी इच्छा ज़ाहिर की और स्टीवेंसन ने अपने कैमरा उन्हें शूट करने के लिए दे दिया। हीरालाल ने उससे कैमरे का उपयोग करते हुए फ्लावर्स ऑफ़ पर्शिया के एक नृत्य दृश्य को शूट किया। कहानी यहीं ख़त्म नहीं हुई।

हीरालाल और उनके भाई मोतीलाल ने मिलकर काफ़ी मेहनत करके 5,000 रुपये इकट्ठे किये और लन्दन से एक बाइस्कोप सिनेमैटोग्राफ़िक मशीन ख़रीद ली। फिर हीरालाल सेन ने कुश्ती के कुछ दृश्यों का एक चलचित्र बनाया। 1899 में बनी इस फ़िल्म का नाम है द रेसलर्स (The Wrestlers)। यह भारत की पहली डॉक्यूमेंट्री फ़िल्म भी थी।

1904 में उन्होंने बंगाल को विभाजित करने की लॉर्ड कर्जन की योजना के विरोध में एक सार्वजनिक रैली को फ़िल्म में क़ैद किया। रैली की विशालता को रिकॉर्ड करने के लिए, उन्होंने कोषागार भवन के ऊपर कैमरा लगाया ताकि वह सुरेन्द्रनाथ बनर्जी सहित वक़्ताओं को लगभग दो मील तक फैली भारी भीड़ की पृष्ठभूमि में फ़िल्मा सकें। कई लोग बंगाल विभाजन पर बनी इस फ़िल्म को देश का पहला राजनीतिक वृत्तचित्र मानते हैं। सेन ने दो विज्ञापनों की भी शूटिंग की जो उनके समय से काफ़ी आगे थे। उन वर्षों में सेट बनाने की कोई अवधारणा नहीं थी और उन्होंने विज्ञापनों के लोकेशन (Location) के लिए हुगली नदी के किनारे एक बड़े आलीशान मकान को चुना। उत्पाद थे जबाकुसुम हेयर ऑयल और एडवर्ड की मलेरिया-रोधी दवा। हीरालाल सेन के करियर की महत्त्वपूर्ण फ़िल्म थी जो उन्होंने जॉर्ज पंचम के भारत आने पर बनायी थी। दूसरी थी बंगाल विभाजन पर बनी फ़िल्म। उन्होंने पहली लम्बी फ़िल्म जो बनायी थी, वह थी 'आलीबाबा और चालीस चोर'। यह फ़िल्म 1903 में बनी थी। इस फ़िल्म

के बनने के क़रीब एक दशक बाद ही दादा साहब फाल्के ने 'राजा हरिश्चन्द्र' नामक फ़िल्म बनायी थी जिसे पहली भारतीय फ़िल्म का दर्जा इतिहासकार दे रहे हैं। सूत्रों के मुताबिक़ 1913 तक आते-आते हीरालाल सेन ने क़रीब चालीस फ़िल्में बनायी थीं। उनकी सम्पत्ति इसी फ़िल्मीं उद्योग में नष्ट हो रही थी। ऊपर से उनके गले में कैंसर भी हो गया था। जानलेवा बीमारी और दिवालियेपन ने उन्हें पूरी तरह चूर कर दिया था। पर तब भी उनके मन में फ़िल्मों के प्रति जो रुचि और जुनून था वह ख़त्म नहीं हुआ था। 1917 में उनके जीवन में दुःख का कहर ऐसे टूट पड़ा जिससे वह कभी उभर न सके और जिसके कारण वे गुमनामी के अँधेरे में धकेल दिये गये। वह थी चितपुर में स्थित उनके रॉयल बायस्कोप कम्पनी के दफ़्तर में आग लगने की घटना जिसमें उनकी सारी फ़िल्में जल गयीं। एक भी फ़िल्म नहीं बची। इस सदमे को वे सहन नहीं कर पाये और कुछ साल बाद उनकी मृत्यु हो गयी। इस तरह भारतीय सिनेमा की बुनियाद डालनेवाले हीरालाल सेन गुमनाम रह गये।

दन्तिराज गोविन्द फाल्के

उन्हें दादा साहब फाल्के के नाम से जाना जाता है और इतिहासकारों के अनुसार वे भारतीय सिनेमा के जनक हैं। उनका जन्म 30 अप्रैल, 1870 को हुआ था। 1910 में, उन्होंने बॉम्बे में फ़िल्म 'हिस्ट्री ऑफ़ क्राइस्ट' (History of Christ) देखी। तब से उन्होंने यह निश्चय किया कि वो भी भारतीय धार्मिक और मिथकीय चरित्रों को सिनेमा के परदे पर जीवन्त करेंगे। इसके लिए वे फ़िल्म निर्माण के विभिन्न पहलुओं के बारे में जानने के लिए जर्मनी गये। एक

मूवी कैमरा लेकर वहाँ से लौटे, अपनी पत्नी के गहने बेचकर उन्होंने भारत की पहली मूक फ़िल्म का निर्माण शुरू किया। 'राजा हरिश्चन्द्र' नामक उस फ़िल्म के निर्देशक, कैमरामैन और फ़िल्म सम्पादक स्वयं फाल्के ही थे। इस फ़िल्म की शूटिंग 1912 में शुरू हुई और 1913 में पूरी हुई। उन दिनों अभिनेताओं का मिलना ही मुश्किल था। हरिश्चन्द्र की पत्नी तारामती का किरदार निभाने के लिए अभिनेत्री नहीं मिल रही थी। आख़िर फाल्केजी ने रेड स्ट्रीट पर जाकर वहाँ की लड़कियों से अनुरोध किया। पर अभिनय से मिलने वाली फीस बहुत कम थी, इसलिए वे भी तैयार नहीं हुईं। आख़िर एक ढाबे में खाना खाने बैठते वक़्त फाल्केजी की नज़र वहाँ के एक बावर्ची पर पड़ी जिसके हाथ बहुत नाजुक थे और चाल लड़कियों जैसी थी। इसलिए उसी कोही तारामती की रोल निभाने के लिए चुना।

'श्रीकृष्ण जन्म', 'भस्मासुर मोहिनी', 'सावित्री' और 'सेतुबंधन' जैसी फ़िल्मों का निर्माण करने वाले फाल्के का 16 फ़रवरी 1944 को निधन हो गया। उनकी याद में ही केन्द्र सरकार ने 1969 में दादा साहब फाल्के पुरस्कार की स्थापना की थी।

सेंसर बोर्ड (Sensor Board)

1917 में मुम्बई के द्वारकादास द्वारा स्थापित कम्पनी 'कोहिनूर फ़िल्म्स' पौराणिक फ़िल्मों से सामाजिक फ़िल्मों में बदल गयी। उनके द्वारा निर्मित फ़िल्म 'मालती माधव' ने काफ़ी विवाद खड़ा किया था। उसमें काफ़ी नग्न चित्र थे। इसलिए 1920 में भारत सरकार ने फ़िल्मों को रेगुलेट करने के लिए एक बोर्ड का गठन किया। वही सेंसर बोर्ड में तब्दील हो गया।

भारत की पहली ध्वनि फ़िल्म

1929 में पहली बार एक विदेशी ध्वनि फ़िल्म भारत में दिखाई गयी थी। 1931 में बनी 'मेलोडी ऑफ़ लव' (Melody of Love) पहली ध्वनि फ़िल्म थी जो भारत में भी रिलीज़ हुई थी। फिर 1931 में अर्देशिर ईरानी द्वारा निर्मित 'आलम आरा' पहली फ़िल्म बनी जिसे ही भारतीय फ़िल्मी इतिहास की पहली ध्वनि फ़िल्म माना जाता है। मुम्बई की इम्पीरियल फ़िल्मस कम्पनी इस फ़िल्म की निर्माता थी।

'आलम आरा' की रिलीज़ ने भारतीय सिनेमा के इतिहास में एक नये युग की शुरुआत की। फ़िरोज़शाह आलम आरा के पहले संगीत निर्देशक थे। 1931 में आलम आरा के लिए रिकॉर्ड किया गया पहला गाना 'दे दे खुदा के नाम पर' था। इसे डब्ल्यू.एम. खान ने गाया था। इसके बाद, कई प्रोडक्शन कम्पनियाँ उभरीं, जिससे फ़िल्मों की संख्या में वृद्धि हुई। इस दौरान, विशाल मूवी हाल बनाये गये और दर्शकों की संख्या में उल्लेखनीय वृद्धि हुई।

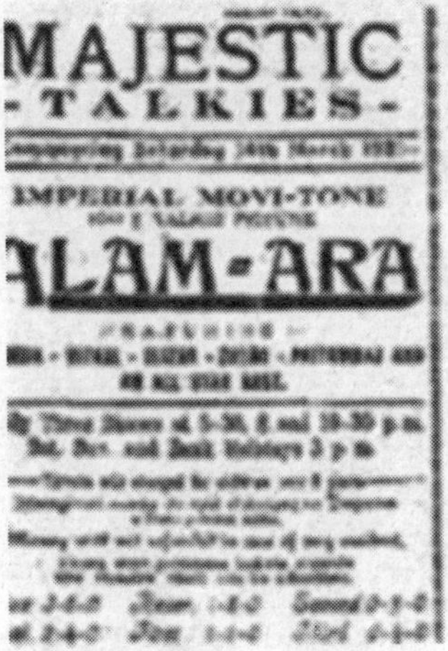

विकास के चरण

देश ने न केवल हिन्दी सिनेमा का विकास देखा, बल्कि क्षेत्रीय फ़िल्म उद्योग ने भी अपनी अलग पहचान बनायी। 1917 में पहली बंगाली फीचर फ़िल्म 'नल दमयन्ती' निकली जिसका निर्माण जे.एफ. मदन ने किया था। प्रमुख भूमिकाओं में इटली के अभिनेता थे।

बंगाली में पहली ध्वनि फ़िल्म 'जमाई षष्ठी' थी, जिसे 1931 में प्रदर्शित किया गया था। तमिल भाषा की पहली ध्वनि फ़िल्म थी 'कालिदास' और मलयालम की पहली ध्वनि फ़िल्म 'बालन' थी। बंगाली और दक्षिण भारतीय भाषाओं के अलावा, अन्य भाषाओं जैसे असमिया, उड़िया, पंजाबी, मराठी और कई अन्य भाषाओं में भी क्षेत्रीय फ़िल्में बनायी गयीं।

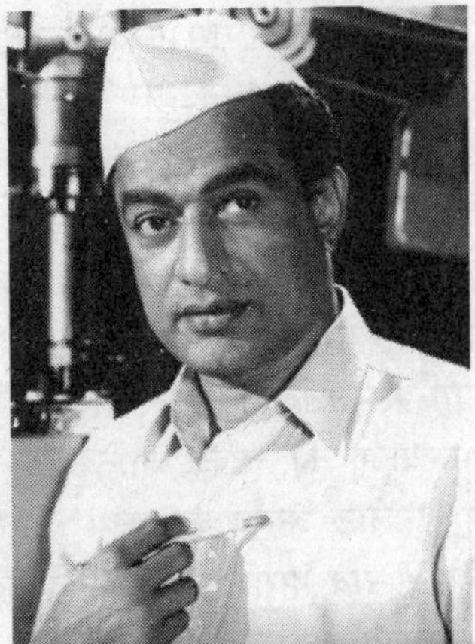

द्वितीय विश्व युद्ध के दौरान भारत में निर्मित होने वाली फ़िल्मों की संख्या में थोड़ी गिरावट देखी गयी। मूल रूप से आधुनिक भारतीय फ़िल्म उद्योग का जन्म 1947 के आसपास हुआ था। इस अवधि में फ़िल्म उद्योग में एक उल्लेखनीय और उत्कृष्ट परिवर्तन देखा गया।

कई फ़िल्म निर्माताओं ने भारतीय सिनेमा के विकास और प्रगति का बीड़ा उठाया। यहाँ स्टूडियो प्रणाली 1930 के दशक की शुरुआत में उभरने लगी थी। इसकी सबसे सफल प्रारम्भिक फ़िल्म देवदास (1935) थी जिसके निर्देशक थे पी.सी. बरुआ। 1929 में वी. जी. दामले, शान्ताराम, एस. फतेहलाल और दो अन्य लोगों द्वारा स्थापित प्रभात फ़िल्म कम्पनी ने भी इस दौरान अपनी पहली सफलता हासिल की। दामले और फतेहलाल द्वारा मराठी में बनी फ़िल्म सन्त तुकाराम (1936) अन्तरराष्ट्रीय पहचान हासिल करने वाली पहली भारतीय फ़िल्म थी।

1930 और 1940 के दशक के दौरान देबकी बोस, चेतन आनन्द, एस. एस. वासन, नितिन बोस और कई अन्य प्रसिद्ध फ़िल्मी हस्तियाँ इस दृश्य पर उभरीं। इन दिनों फ़िल्म निर्माता सामाजिक रूप से महत्त्वपूर्ण मुद्दों पर फ़िल्म बनाने के लिए आगे आये। उस दौर के सबसे प्रसिद्ध फ़िल्मकार थे वी. शान्ताराम। उनका उद्देश्य शुद्ध भारतीय फ़िल्म का निर्माण-निर्देशन करना था। वी. शान्ताराम की सामाजिक फ़िल्मों ने निर्देशकों के एक पूरे समूह के लिए मार्ग प्रशस्त किया। शान्ताराम जी ने न केवल विवाह, दहेज और विधवापन की समस्याओं को, बल्कि जाति और वर्ग द्वारा बनायी गयी गम्भीर असमानताओं से पूछताछ करने का काम अपनी फ़िल्मों द्वारा किया। बॉम्बे टॉकीज के हिमांशु राय द्वारा 1936 में निर्देशित फ़िल्म अछूत कन्या में ऐसी ही सामाजिक समस्याओं का खुलासा किया गया है।

हिन्दी सिनेमा का अगला उल्लेखनीय चरण राज कपूर, बिमल रॉय और गुरुदत्त जैसी हस्तियों से जुड़ा है। पृथ्वीराज कपूर के बेटे राज कपूर ने हिन्दी सिनेमा में कुछ सबसे प्रशंसित और यादगार फ़िल्में बनायीं। 'आवारा' 1951), 'श्री 420' (1955) और 'जगते रहो' (1957) जैसी फ़िल्मों व्यावसायिक रूप से कामयाबी हासिल की। इतालवी नव-यथार्थवाद के प्रभाव को दर्शाने वाली बिमल रॉय की 'दो बीघा ज़मीन' सबसे कठिन परिस्थितियों में ग्रामीण किसानों के कठिन जीवन की खोज करनेवाली फ़िल्म थी।

इस बीच हिन्दी सिनेमा ने चिलक्षण प्रतिभा सम्पन्न फ़िल्मकार गुरुदत्त का उदय देखा जिनकी फ़िल्मों ने सामाजिक परम्पराओं की आलोचना की और उन परिस्थितियों की निन्दा की जो कलाकारों के हौसले तोड़ती हैं।

बॉलीवुड

भारतीय फ़िल्म निर्माण उद्योग का बॉलीवुड, हिन्दी-भाषा क्षेत्र जो 1930 के दशक में मुम्बई में शुरू हुआ और एक विशाल फ़िल्म साम्राज्य के रूप में विकसित हुआ। मूक फ़िल्म में शुरुआती भारतीय प्रयोगों के बाद, 1934 में हिमांशु राय द्वारा शुरू की गयी बॉम्बे टॉकीज ने भारतीय सिनेमा के विकास का नेतृत्व किया। अमेरिकन फ़िल्म इंडस्ट्री हॉलीवुड के नाम से मशहूर हुआ। लेकिन भारत में फ़िल्म उद्योग को हिन्दी फ़िल्म इंडस्ट्री के नाम से ही बुलाया जाता था। कोलकता की फ़िल्म इंडस्ट्री का नाम हॉलीवुड की शैली में टॉलीवुड रखा गया और इसकी देखा-देखी हिन्दी फ़िल्म इंडस्ट्री का नाम बॉलीवुड रखा गया।

इसमें कोई सन्देह नहीं है कि सत्यजित रे, ऋत्विक घटक और मृणाल सेन जैसे बंगाली फ़िल्म निर्माताओं के प्रभाव में, भारतीय सिनेमा ने न केवल हिन्दी में बल्कि 1970 के दशक में वाणिज्यिक ज्वार के खिलाफ़ कुछ अलग मोड़ लेना

शुरू कर दिया। घटक ने पुणे में फ़िल्म और टेलीविज़न स्कूल के निर्देशक के रूप में काम किया, जहाँ से भारतीय फ़िल्म निर्माताओं और अभिनेताओं की एक नयी नस्ल की पहली पीढ़ी नसीरुद्दीन शाह, शबाना आज़मी, स्मिता पाटिल और ओम पुरी आदि कलाकार उभरे। श्याम बेनेगल, केतन मेहता, गोविन्द निहलानी और सईद मिर्ज़ा जैसे इन फ़िल्म निर्माताओं ने एक अलग सौन्दर्य और राजनीतिक संवेदनशीलता का प्रदर्शन किया और भारतीय समाज के जाति और वर्ग के अन्तर्विरोधों, महिलाओं द्वारा झेले जाने वाले उत्पीड़न का पर्दाफ़ाश अपनी फ़िल्मों द्वारा किया। उद्योगवाद और ग्रामीण क्षेत्रों से शहरी क्षेत्रों में प्रवास, भूमिहीनता की समस्या, सामान्य लोकतांत्रिक और निवारण की संवैधानिक प्रक्रियाओं की विसंगतियाँ आदि अनेक समस्याएँ ऐसी फ़िल्मों के विषय बने।

भारतीय संस्कृति में नाट्य, नृत्य और नृत्त जैसे तीन तत्त्व महत्त्वपूर्ण थे। इन तीन पहलुओं को अन्ततः भारतीय सिनेमा में स्थानान्तरित कर दिया गया। बॉलीवुड फ़िल्मों में आज जो गीत, नृत्य दृश्य और तेज़तर्रार वेशभूषा दिखाते हैं वे सब भारतीय संस्कृति के प्रतीक के रूप में हमने अपनाये हैं। बॉलीवुड ने भारतीय संगीत के इतिहास में कुछ

सबसे मधुर धुनों की रचना करके भारतीय संगीत में बहुत योगदान दिया है। गीत भारतीय फ़िल्मों का एक अभिन्न अंग हैं। गीतों की उपस्थिति ने भारतीय फ़िल्मों को अन्तर्राष्ट्रीय फ़िल्मों की तुलना में एक विशिष्ट रूप दिया है। भारतीय फ़िल्म उद्योग ने कई प्रतिभाशाली गीतकार, संगीत निर्देशक और कलाकार तैयार किये हैं।

1970 के दशक में बॉलीवुड में मसाला फ़िल्मों का आगमन हुआ। राजेश खन्ना, धर्मेन्द्र, संजीव कुमार, हेमा मालिनी और कई अन्य जैसे अभिनेताओं की आभा ने दर्शकों को मन्त्रमुग्ध कर दिया। सबसे प्रमुख और सफल निर्देशक, मनमोहन देसाई को कई लोग मसाला फ़िल्मों के पिता के रूप में मानते थे।

मनमोहन देसाई के अनुसार, ''मैं चाहता हूँ कि लोग अपना दुख भूल जायें। मैं उन्हें एक सपनों की दुनिया में ले जाना चाहता हूँ जहाँ कोई गरीबी नहीं है, जहाँ कोई भिखारी नहीं है, जहाँ भाग्य दयालु है और भगवान अपने झुण्ड की देखभाल करने में व्यस्त हैं।''

रमेश सिप्पी द्वारा निर्देशित ज़बरदस्त फ़िल्म 'शोले' ने न केवल अन्तरराष्ट्रीय ख्याति प्राप्त की, बल्कि अमिताभ बच्चन को 'सुपरस्टार' भी बनाया।

भारतीय सिनेमा 70 से अब तक

सत्तर के दशक में 'आराधना' (1969), 'सच्चा झूठा' (1970), 'हाथी मेरे साथी' (1971), 'आनन्द' (1971), 'कटी पतंग' (1971) 'अमर प्रेम' (1972), 'दुश्मन' (1972) और 'दाग़' (1973) जैसी फ़िल्मों के साथ हिन्दी व्यावसायिक सिनेमा जारी रहा। आनन्द और 'आराधना' फ़िल्मों की सफलता के साथ-साथ राजेश खन्ना हिन्दी फ़िल्मों के सुपर स्टार पद पर आसीन हुए और उन्हें हिन्दी फ़िल्म के प्रथम सुपर स्टार मानते हैं।

1970 के दशक की शुरुआत तक हिन्दी सिनेमा विषयगत ठहराव का अनुभव कर रहा था और संगीतमय रोमांस फ़िल्मों का प्रभुत्व था। पटकथा लेखन जोड़ी सलीम-जावेद, जिसमें सलीम खान और जावेद अख़्तर शामिल हैं, ने 1970 के दशक में भारतीय सिनेमा को पुनर्जीवित किया और वे बॉलीवुड के महानतम पटकथा लेखक माने जाते हैं। उन्होंने 'ज़ंजीर' (1973) और 'दीवार' (1975) जैसी फ़िल्मों के साथ बॉम्बे अंडरवर्ल्ड अपराध फ़िल्मों की शैली की स्थापना की। जनता के बीच बढ़ते असन्तोष और मोहभंग, झुग्गियों की अभूतपूर्व वृद्धि, शहरी गरीबी, भ्रष्टाचार आदि को फ़िल्मों द्वारा दर्शाया गया।

1970 के दशक के मध्य तक, 'ज़ंजीर' और 'शोले' (1975) जैसी क्राइम-एक्शन फ़िल्मों ने मुख्य अभिनेता के रूप में बच्चन की स्थिति को मज़बूत किया। इस तरह दूसरे सुपर स्टार का उदय होने लगा। 1980 के दशक में 'एक दूजे के लिए' (1981), 'डिस्को डांसर' (1982), 'हिम्मतवाला' (1983), 'तोहफा' (1984), 'नाम' (1986), 'मिस्टर इंडिया' (1987), और 'तेज़ाब' (1988) जैसी फ़िल्मों के साथ व्यावसायिक हिन्दी सिनेमा का विकास हुआ। 1986 तक, भारत का वार्षिक फ़िल्म उत्पादन सालाना 741 फ़िल्मों से बढ़कर 833 फ़िल्मों तक पहुंच गया, जिससे भारत दुनिया का सबसे बड़ा फ़िल्म निर्माता बन गया।

1980 के दशक के उत्तरार्ध में, हिन्दी सिनेमा ने एक और ठहराव (stagnation) का अनुभव किया। फ़िल्मों में दिखाई जानेवाली बढ़ती हिंसा, संगीत की मधुर गुणवत्ता में गिरावट और वीडियो चोरी में वृद्धि के कारण फ़िल्मों की बॉक्स ऑफ़िस पर गिरावट आम बात हो गयी। मध्यवर्गीय परिवार के दर्शकों ने सिनेमाघरों को छोड़ दिया। अस्सी के दशक की हिन्दी फ़िल्मों के बारे में आलोचक दो पक्षवाले हैं। कुछ लोग इस दशक को कलापरक फ़िल्मों के ह्रास का युग मानते हैं पर कुछ लोग इस दौर को व्यावसायिक रूप से सफल युग मानते हैं। दोनों पक्षों की राय में कुछ सच भी और कुछ झूठ। 1981 में निकली उम्दा फ़िल्म थी 'उमरावजान' जिसमें रेखा के असाधारण और शानदार अभिनय को हम कैसे भूल सकते हैं।

1982 में निकली 'डिस्को डांसर' के साथ फ़िल्मी जगत में नया मोड़ आया, जो न केवल भारत में एक ब्लॉकबस्टर थी, बल्कि रूस में भी उस वर्ष की सबसे बड़ी हिट थी। डिस्को डांसर ने भारतीय सिनेमा में डिस्को के युग की शुरुआत

की और मुख्य अभिनेता के रूप में मिथुन चक्रवर्ती और संगीत निर्देशक के रूप में बप्पी लाहिरी के उदय का कारण बना। सचमुच इस दशक में सार्थक और व्यावसायिक रूप से नियमित एक उत्कृष्ट मिश्रण की फ़िल्में देखी गयी, जिन्होंने दर्शकों को मनोरंजन के साथ-साथ सोचने के लिए भी प्रेरित किया है। मीरा नायर, अपर्णा सेन और अन्य जैसी कई महिला निर्देशकों ने 1980 के दशक में अपनी प्रतिभा का प्रदर्शन किया।

इसके बाद, श्रीदेवी द्वारा अभिनीत यश चोपड़ा की संगीतमय रोमांस 'चाँदनी' (1989) ने रोमांटिक संगीत शैली को फिर से जीवन्त करने में महत्त्वपूर्ण भूमिका निभाई। 'मिस्टर इंडिया' (1987), 'क़यामत से क़यामत तक' (1988), 'चालबाज़' (1989), 'मैंने प्यार किया' (1989), 'लम्हे' (1991), 'साजन' (1991) 'खुदा गवाह' (1992), 'खलनायक' (1993), 'डर' (1993), 'हम आपके हैं कौन..!' (1994), 'दिलवाले दुल्हनिया ले जायेंगे' (1995), 'दिल तो पागल है' (1997), 'प्यार किया तो डरना क्या' (1998) और 'कुछ कुछ होता है' (1998) आदि की रिलीज़ के साथ अस्सी और नब्बे के दशक के अन्त में व्यावसायिक हिन्दी सिनेमा का काफ़ी विकास हुआ।

1990 के दशक के उत्तरार्ध में, समानांतर सिनेमा ने हिन्दी सिनेमा में पुनरुत्थान शुरू किया, जिसका मुख्य कारण 'सत्य' (1998) और 'वास्तव' (1999) जैसी अपराध फ़िल्मों की आलोचनात्मक और व्यावसायिक सफलता थी। इन फ़िल्मों ने मुम्बई नोयर (Mumbai Noir) के नाम से जानी जाने वाली यानि कि शहरी फ़िल्में जो वहाँ की सामाजिक समस्याओं को दर्शाती हैं, एक शैली का शुभारम्भ किया।

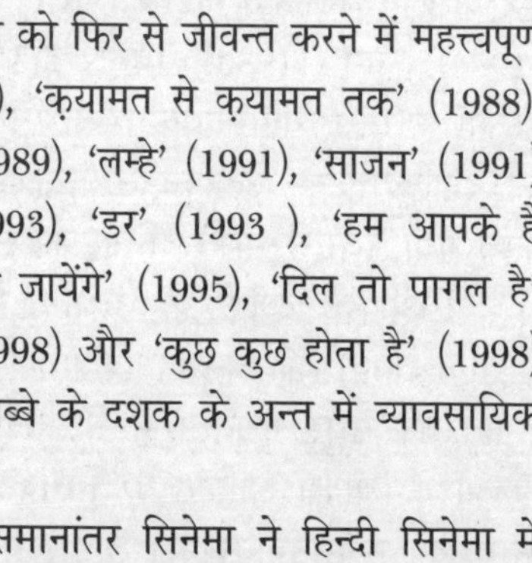

इस दशक में शाहरुख खान, सलमान खान, माधुरी दीक्षित, आमिर खान, जूही चावला, कोजोल और कई अभिनेताओं का एक नया बैच देखा गया। अभिनेताओं की इस नयी शैली ने अपने प्रदर्शन को बढ़ाने के लिए नयी तकनीकों का इस्तेमाल किया जिसने भारतीय फ़िल्म उद्योग को और भी उन्नत किया।

1990 के दशक से, तीन सबसे बड़े बॉलीवुड फ़िल्म सितारे उभर आये जो 'तीन खान' के नाम से प्रसिद्ध हुए। आमिर खान, शाहरुख खान, और सलमान खान। तीनों ने सबसे ज़्यादा कमाई करने वाली बॉलीवुड फ़िल्मों में अभिनय किया। 1980 के दशक के अन्त से तीनों खानों का सफल करियर शुरू हुआ। और 1990 के दशक से भारतीय बॉक्स ऑफ़िस पर अपना दबदबा बनाये हुए हैं। 1990 और 2000 के दशक में शाहरुख खान सबसे सफल रहे, जबकि आमिर खान 2000 के दशक के बाद से सबसे सफल रहे हैं। फोर्ब्स जर्नल के अनुसार, आमिर खान भारत और चीन में उनकी अपार लोकप्रियता के कारण 2017 तक यकीनन दुनिया सबसे बड़े फ़िल्म स्टार रहे हैं। 1989 में अपनी फ़िल्मी करियर की शुरुआत करनेवाले सलमान खान की फ़िल्में आज भी बॉक्स ऑफ़िस पर हिट हैं। अन्य हिन्दी सितारों में अक्षय कुमार, अजय देवगन, ऋतिक रोशन, सैफ अली खान, अनिल कपूर, जैकी श्रॉफ, संजय दत्त, श्रीदेवी, माधुरी दीक्षित, ऐश्वर्या रॉय, रानी मुखर्जी और काजोल शामिल हैं।

2000 और 2010 के दशक में शाहिद कपूर, रणवीर कपूर, रणवीर सिंह, आयुष्मान खुराना, वरुण धवन, सिद्धार्थ मल्होत्रा, सुशान्त सिंह राजपूत, कार्तिक आर्यन, अर्जुन कपूर, आदित्य रॉय कपूर और टाइगर श्रॉफ, साथ ही विद्या बालन, प्रियंका चोपड़ा, कैटरीना कैफ, ऐश्वर्या रॉय, कंगना रनौत, दीपिका पादुकोण, सोनम कपूर, अनुष्का शर्मा, श्रद्धा कपूर, आलिया भट्ट और कृति सनोन जैसे लोकप्रिय अभिनेताओं की एक नयी पीढ़ी का उदय हुआ।

2008 भारतीय फ़िल्म उद्योग के लिए एक उल्लेखनीय वर्ष था क्योंकि ए.आर. रहमान को स्लमडॉग मिलियनेयर और सर्वश्रेष्ठ साउंडट्रैक के लिए दो अकादमी पुरस्कार मिले।

फ़िल्म निर्माण की प्रक्रिया की बात करें तो बहुत कुछ बदल गया है और भारतीय फ़िल्म निर्माता इस विकसित हो रहे शिल्प के अनुकूलन के साथ सफल रहे हैं। जबकि अनुराग कश्यप जैसे फ़िल्म निर्माताओं ने भारतीय दर्शकों के सामने यह साबित कर दिया 'गैंग्स ऑफ़ वासेपुर' जैसी यथार्थवादी फ़िल्म एक व्यावसायिक रूपरेखा के साथ बनायी जा सकती है। दूसरी ओर, दक्षिण भारतीय निर्देशक एस.एस राजामौली ने एक काल्पनिक दुनिया बनाकर भारतीय दर्शकों को अपनी 'बाहुबली' के साथ उस काल्पनिक दुनिया में विचरण कराया। हालांकि, वैश्विक मंच पर अपना झण्डा फहराने के लिए भारतीय सिनेमा में प्रवासी भारतीयों का भी बड़ा योगदान रहा है। भारतीय फ़िल्में हमेशा समृद्ध रही हैं और सामग्री, मार्केटिंग और वैश्विक दर्शकों के ज़माने में समृद्ध बनी रहेंगी।

सिनेमा का समाज पर सकारात्मक प्रभाव पड़ता है क्योंकि यह हमें अन्य संस्कृतियों के लोगों से जुड़ने में मदद करता है। यह समाज के मुद्दों को दर्शाता है और हमें उनसे परिचित कराता है। इसके अलावा, यह हमें अधिक जागरूक भी बनाता है और आपातकालीन स्थितियों में सुधार करने में मदद करता है।

भारतीय सिनेमा अब भारत तक ही सीमित नहीं रह गया है और अब इसे अन्तरराष्ट्रीय दर्शकों द्वारा ख़ूब सराहा जा रहा है। बॉलीवुड बॉक्स ऑफिस कलेक्शन में विदेशी बाज़ार का योगदान काफ़ी उल्लेखनीय है। भारतीय सिनेमा हमारे दैनिक जीवन का एक अभिन्न अंग बन गया है चाहे वह क्षेत्रीय फ़िल्म हो या बॉलीवुड फ़िल्म। हमारे समाज में इसकी एक प्रमुख भूमिका है। हालाँकि मनोरंजन भारतीय सिनेमा का प्रमुख शब्द है, लेकिन इसकी ज़िम्मेदारी कहीं अधिक है क्योंकि यह दर्शकों के दिमाग़ को प्रभावित करता है।

प्रमुख फ़िल्मी हस्तियाँ / प्रमुख निर्देशक

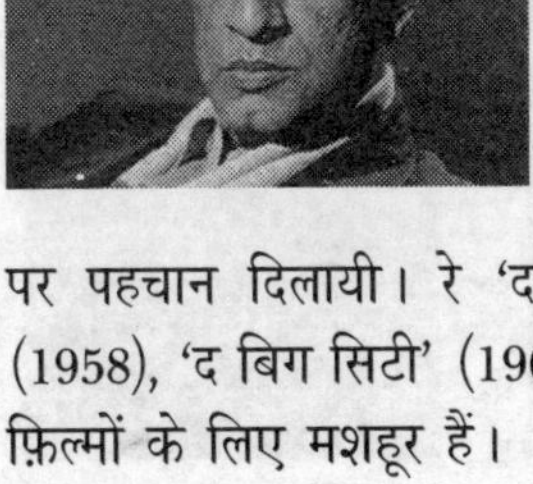

सत्यजित रॉय–सत्यजीत रे (2 मई, 1921-23 अप्रैल, 1992) एक भारतीय निर्देशक, पटकथा लेखक, वृत्तचित्र फ़िल्म निर्माता, लेखक, निबन्धकार, गीतकार, पत्रिका सम्पादक, चित्रकार, सुलेखक और संगीतकार थे जिन्होंने 'पथेर पांचाली' (1955) के साथ भारतीय सिनेमा को विश्व स्तर पर पहचान दिलायी। रे 'द अपु ट्रिलॉजी' (1955-1959), 'द म्यूजिक रूम' (1958), 'द बिग सिटी' (1963) और 'चारुलता' (1964) सहित अपने महत्त्वपूर्ण फ़िल्मों के लिए मशहूर हैं।

सत्यजीत रे का जन्म कलकत्ता में हुआ था। उनके पिता सुकुमार रे एक चित्रकार, आलोचक और बाल साहित्य के अग्रणी बंगाली लेखक थे। जब सत्यजीत तीन वर्ष के थे तब सुकुमार रे की मृत्यु हो गयी और परिवार माँ सुप्रभा रे की अल्प आय पर जीवित रहा। रे ने कलकत्ता के बालीगंज गवर्नमेंट हाई स्कूल में अध्ययन किया, और प्रेसीडेंसी कॉलेज, कलकत्ता से अर्थशास्त्र में बी.ए. पूरा किया। एक व्यावसायिक कलाकार के रूप में अपने करियर की शुरुआत करने के लिए वह फ्रांसीसी फ़िल्म निर्माता जीन रेनॉयर से मिलने लन्दन गये और लन्दन की यात्रा के दौरान विटोरियो डी सिका की इतालवी नवयथार्थवादी फ़िल्म 'बाईसाइकिल थीव्स' (1948) को देखने का मौक़ा मिला। इससे प्रेरणा पाकर वे स्वतन्त्र फ़िल्म निर्माण में शामिल हो गये।

अपनी पहली फ़िल्म के लिए, सत्यजीत रे ने बिभूतिभूषण बन्दोपाध्याय की 'पाथेर पांचाली' को चुना जो बंगाली साहित्य की सर्वकालिक उत्कृष्ट कृतियों में से एक थी और 1928 में प्रकाशित हुई थी। उपन्यास अपु नाम के एक गाँव के लड़के की कहानी कहता है। पाथेर पांचाली की शूटिंग तीन साल के लम्बे समय के बाद पूरी हुई। शूटिंग के दौरान रे को कई तरह के आर्थिक संकटों का सामना करना पड़ा और आख़िर बंगाल सरकार की आर्थिक सहायता से फ़िल्म रिलीज़ हुई। आलोचकों और आस्वादकों द्वारा प्रशंसित यह फ़िल्म, भारत और विदेशों में लम्बे समय तक प्रदर्शित की गई और फ़िल्म ने कई पुरस्कार जीते।

अपनी दूसरी फ़िल्म 'अपराजिता' की सफलता के साथ ही राय की अन्तरराष्ट्रीय स्थिति और मज़बूत हुई। यह फ़िल्म जीवन में उच्च महत्त्वाकांक्षाओं और अपनी माँ के प्यार के बीच जीनेवाले अपू के भावनात्मक संघर्ष की कहानी बताती है। 1957 में, अपराजिता ने वेनिस फ़िल्म फेस्टिवल में गोल्डन लायन

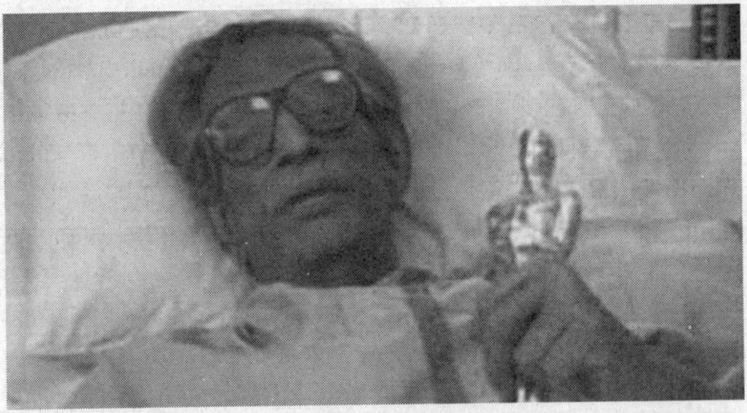

पुरस्कार जीता। 1959 में इसका तीसरा भाग निकला 'अपुर संसार'। पिछली दो फ़िल्मों की तरह इस फ़िल्म को भी राय की सबसे बड़ी कृति मानी जाती है। राय ने इस फ़िल्म के ज़रिए सौमित्र चटर्जी और शर्मिला टैगोर को फ़िल्मी दुनिया से परिचित कराया। इस फ़िल्म में हम अपु को कलकत्ता की एक साधारण गली में भूख से तड़पते देखते हैं।

1962 में राय ने फ़िल्म 'कंचनजंगा' का निर्देशन किया। 'कंचनजंगा' एक अमीर परिवार की कहानी है जो अपनी सबसे छोटी बेटी की शादी लन्दन में पढ़े-लिखे उच्च-आय वाले इंजीनियर से करने के लिए पश्चिम बंगाल की ख़ूबसूरत दार्जिलिंग घाटी में दोपहर बिताने आते हैं।

1964 में, राय द्वारा निर्देशित ख़ूबसूरत फ़िल्म 'चारुलता' उनकी सर्वोत्तम फ़िल्म मानी जाती है। यह फ़िल्म रवीन्द्रनाथ टैगोर की लघु कहानी 'नष्टनीड' पर आधारित थी। फ़िल्म चारु की कहानी बताती है, जो 19वीं सदी के बंगाल में रहने वाली एक अकेली औरत है जो मन-ही-मन अपने देवर से रागात्मक सम्बन्ध रखती है। राय ने खुद इस फ़िल्म के बारे में गर्व से कहा है कि यह उनकी सबसे कम ग़लतियों वाली फ़िल्मों में से एक है और उन्हें ऐसा करने का मौक़ा दिया गया है।

1992 में दिल के दौरे के कारण राय की मृत्यु हो गयी। उनके निधन के एक महीने पहले अकादमी द्वारा 64 वें ऑस्कर पुरस्कार से सम्मानित किया गया था। राय ने कोलकाता के अस्पताल-बिस्तर से अपना पुरस्कार स्वीकार किया। बहुत कम भारतीयों को दुनिया भर में सिनेमा में ऑस्कर पुरस्कार से सम्मानित किया गया है।

सत्यजीत राय की तरह शायद कोई ऐसा फ़िल्म निर्माता नहीं है जिसने अपने काम पर इतना पूर्ण नियन्त्रण रखा हो। वह स्क्रिप्टिंग, कास्टिंग, निर्देशन, कैमरा संचालन, कला निर्देशन और सम्पादन पर बहुत ही बारीकी से काम करते थे। यहाँ तक कि अपने स्वयं की प्रचार सामग्री को डिजाइन करने के काम में भी वे ध्यान रखते थे। उनकी फ़िल्में पारम्परिक हॉलीवुड फ़िल्मों की शैली और सामग्री दोनों के विपरीत हैं। उनके चरित्र आम तौर पर औसत क्षमता और प्रतिभा के होते हैं। विकृत या विचित्र व्यवहार, हिंसा और खुला सेक्स, उनकी फ़िल्मों में शायद ही कभी दिखाई देते हैं। उनकी रुचि उनके समाज में दिखाये देनेवाले साधारण पात्रों में निहित है। अन्तरात्मा से पीड़ित व्यक्ति का संघर्ष और समाज में फैला भ्रष्टाचार उनकी फ़िल्मों के विषय बने। उन्होंने वास्तविक लोगों की वास्तविक चिन्ताओं को पर्दे पर उतारा।

वी शान्ताराम–शान्ताराम राजाराम वनकुंद्रे (वी शान्ताराम) का जन्म 18 नवम्बर, 1901 को महाराष्ट्र के कोहलपुर में एक प्रमुख जैन परिवार में हुआ था। उन्होंने 1921 में मूक फ़िल्म सुरेखा हरण में एक अभिनेता के रूप में अपनी फ़िल्मी करियर की शुरुआत की। उनको हिन्दी और मराठी फ़िल्मों में बेहतरीन काम के लिए जाना जाता है। उनकी मशहूर फ़िल्में हैं–'डॉ. कोटनिस की अमर कहानी' (1946), 'अमर भूपाली' (1951), 'झनक झनक पायल बाजे' (1955), 'दो आँखें बारह हाथ' (1957), 'नवरंग' (1959), 'दुनिया ना माने' (1937), 'पिंजारा' (1972) आदि।

अन्नासाहेब के नाम से मशहूर शान्ताराम की लगभग सात दशकों तक एक फ़िल्म निर्माता के रूप में शानदार करियर रही। शान्ताराम पहले फ़िल्म निर्माताओं में से एक थे जिन्होंने फ़िल्म के माध्यम की शक्ति को पहचाना और इसका उपयोग सामाजिक परिवर्तन के लिए किया। उन्होंने एक तरफ़ मानवतावाद की वकालत करने और दूसरी तरफ़ कट्टरता और अन्याय को उजागर करने के लिए फ़िल्मी माध्यम का सफलतापूर्वक इस्तेमाल किया। वी. शान्ताराम को संगीत में बहुत गहरी रुचि थी।

इसीलिए ही उनकी फ़िल्मों में संगीत का महत्त्वपूर्ण स्थान है। चार्ली चैपलिन ने उनकी मराठी फ़िल्म 'मानुस' देखकर उनकी प्रशंसा की थी।

बिमल रॉय–बिमल रॉय (12 जुलाई, 1909 - 8 जनवरी, 1966) हिन्दी सिनेमा के एक महत्त्वपूर्ण निर्देशक थे। उन्हें 'दो बीघा ज़मीन', 'परिणीता', 'बिराज बहू', 'देवदास', 'मधुमती', 'सुजाता', 'पारख और बंदिनी' जैसी यथार्थवादी और समाजवादी फ़िल्मों के लिए विशेष रूप से जाना जाता है।

बिमल रॉय का जन्म 12 जुलाई, 1909 को सुआपुर, ढाका में एक बंगाली परिवार में हुआ था, जो उस समय ब्रिटिश भारत के पूर्वी बंगाल और असम प्रान्त का हिस्सा था और अब बांग्लादेश का हिस्सा है।

बाद में बिमल रॉय कलकत्ता चले गये और न्यू थिएटर्स प्राइवेट लिमिटेड के साथ कैमरा असिस्टेंट का काम कर सिनेमा के क्षेत्र में प्रवेश किया। इस दौरान उन्होंने पी.सी. बरुआ की फ़िल्म 'देवदास', 'गृहादा', 'माया', 'मुक्ति', 'अभिनेत्री' और 'बिराजबहु' में काम किया। 1940 और 1950 के दशक में रॉय समानान्तर सिनेमा आन्दोलन के वक़्ता बने। हालांकि, कोलकाता का फ़िल्म उद्योग पतन की स्थिति में थी इसलिए रॉय ने अपना काम बॉम्बे (अब मुम्बई) में स्थानान्तरित कर दिया। 1952 तक उन्होंने अपनी करियर के दूसरे चरण को बॉम्बे टॉकीज के लिए बनायी फ़िल्म 'माँ' (1952) के साथ फिर से शुरू किया था। बिमलजी अपने रोमांटिक-यथार्थवादी मेलोड्रामा के लिए प्रसिद्ध थे, जो मनोरंजक होते हुए भी महत्त्वपूर्ण सामाजिक मुद्दों को उठाते थे। वह मानवीय शक्तियों और कमज़ोरियों की महान और गहन समझ के फ़िल्म निर्माता थे। 1959

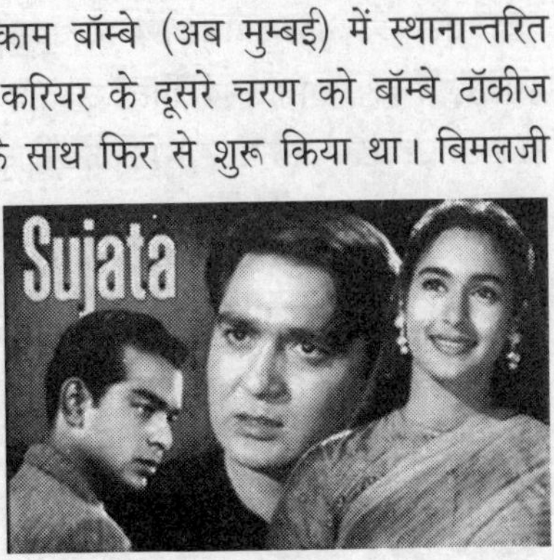

में, वह पहले मास्को अन्तरराष्ट्रीय फ़िल्म समारोह में जूरी के सदस्य थे। इतालवी नव-यथार्थवादी सिनेमा से प्रेरित होकर, उन्होंने विटोरियो डी सिका की बाईसाइकिल थीव्स' को देखने के बाद 'दो बीघा ज़मीन' बनाई। उनका काम विशेष रूप से उनकी फ़िल्म 'मिस एन सीन' के लिए जाना जाता है जिसे उन्होंने यथार्थवाद को चित्रित करने के लिए नियोजित किया था। उन्होंने अपने पूरे करियर में कई पुरस्कार जीते, जिनमें ग्यारह फ़िल्म फेयर पुरस्कार, दो राष्ट्रीय फ़िल्म पुरस्कार और कान्स फ़िल्म समारोह का अन्तरराष्ट्रीय पुरस्कार शामिल हैं। मधुमती ने 1958 में 9 फ़िल्म फेयर पुरस्कार जीते, जो सार्वकालिक रिकॉर्ड साबित हुए।

गुरुदत्त–वसन्त कुमार शिवशंकर पदुकोण (9 जुलाई, 1925–10 अक्टूबर, 1964) जिन्हें गुरुदत्त के नाम से जाना जाता है एक भारतीय फ़िल्म निर्देशक, निर्माता, अभिनेता, कोरियोग्राफर और लेखक थे। उन्हें 2012 में सीएनएन के 'शीर्ष 25 एशियाई अभिनेताओं' में शामिल किया गया था।

दत्त का जन्म मैसूर में 9 जुलाई, 1925 को हुआ था। उनके पिता अध्यापक थे। उन्होंने अपनी प्रारम्भिक शिक्षा कलकत्ता में प्राप्त की और 1944 में उन्होंने एक टेलीफ़ोन ऑपरेटर के रूप काम किया। दत्त ने 1944 में प्रभात स्टूडियो में कोरियोग्राफर के रूप में काम करते हुए भारतीय फ़िल्म उद्योग में प्रवेश किया। वहाँ, देव आनन्द और रहमान खान से

उनकी मुलाक़ात हुई। इस शुरुआती दोस्ती ने बॉलीवुड में उनके रास्ते को आसान बनाने में मदद की।

दत्त ने अपने निर्देशन की शुरुआत 'गैंबल' (1951) से की, जिसमें देव आनन्द ने अभिनय किया। फ़िल्म सफल रही और भविष्य की क्राइम फ़िल्मों के लिए एक ट्रेंड-सेटर बन गयी। दत्त की अगली रिलीज़ 'जाल' (1952) और 'बाज़' (1953) थीं। दत्त ने अपने अभिनय की शुरुआत बाद की फ़िल्म से की, जिसका उन्होंने निर्देशन भी किया। फिर आया 'मिस्टर एंड मिसेज 55' (1955) जो महिलाओं के अधिकारों पर केन्द्रित एक झागदार रोमाँटिक कॉमेडी थी और एक और क्राइम थ्रिलर 'सी.आई.डी.' (1956), जिसमें वहीदा रहमान ने अपनी शुरुआत की। दत्त ने कुल 8 हिन्दी फ़िल्मों का निर्देशन किया, जिनमें से कई को अन्तरराष्ट्रीय स्तर पर सराहा गया। इसमें 'प्यासा' फ़िल्म भी (1957) शामिल है जिसने टाइम पत्रिका की 100 महानतम फ़िल्मों की सूची में अपनी जगह बनाई। और साथ ही 'कागज के फूल' (1959), 'चौदहवीं का चाँद' (1960) और 'साहिब बीबी

और गुलाम' (1962) जैसी फ़िल्में भी हिन्दी सिनेमा की महानतम फ़िल्मों में सूचीबद्ध हैं।

10 अक्टूबर, 1964 को दत्त अपने बिस्तर पर मृत पाये गये। मौत का कारण शराब और नींद की गोलियों का मिश्रण था। उनका निधन भारतीय सिनेमा के लिए अपूरणीय क्षति है। गुरुदत्त को बॉलीवुड के स्वर्ण युग के गुरु और दुनिया के सबसे महत्त्वपूर्ण अन्तरराष्ट्रीय फ़िल्मकारों में से एक माना जाता है।

हृषिकेश मुखर्जी–हृषिकेश मुखर्जी भारतीय सिनेमा के सबसे लोकप्रिय और प्रिय फ़िल्म निर्माताओं में से एक हैं। हृषि-दा के नाम से मशहूर हृषिकेश मुखर्जी ने अपने चार दशकों में फैले करियर के दौरान 42 फ़िल्मों का निर्देशन किया, और उन्हें भारत के 'मध्य सिनेमा' का अग्रणी कहा जाता है। अपनी सामाजिक फ़िल्मों के लिए प्रसिद्ध, जो बदलते मध्यवर्गीय लोकाचार को दर्शाती है, मुखर्जी ने मुख्यधारा के सिनेमा के अपव्यय और कला सिनेमा के कठोर यथार्थवाद के बीच एक मध्य मार्ग बनाया। उनका जादू सिनेमा से जुड़े ग्लैमर या विशालता में नहीं था, बल्कि इसकी सादगी और गर्मजोशी में था। वह केन्द्रीय फ़िल्म प्रमाण ान बोर्ड (सी.बी.एफ.सी) और राष्ट्रीय फ़िल्म विकास निगम (एन.एफ.डी.सी.) के अध्यक्ष भी रहे। भारत सरकार ने उन्हें 1999 में दादा साहब फाल्के पुरस्कार और 2001 में पद्म विभूषण से सम्मानित किया। उन्हें 2001 में एन.टी.आर राष्ट्रीय पुरस्कार मिला और उन्होंने आठ फ़िल्म फेयर पुरस्कार भी जीते।

हृषिकेश मुखर्जी का जन्म स्वतन्त्रता पूर्व भारत में कलकत्ता शहर में एक बंगाली ब्राह्मण परिवार में हुआ था। उन्होंने विज्ञान का अध्ययन किया और कलकत्ता विश्वविद्यालय से रसायन विज्ञान में स्नातक किया। कुछ समय के लिए उन्होंने गणित और विज्ञान पढ़ाया।

उन्होंने अपने करियर की शुरुआत 1951 में बॉम्बे में महान निर्देशक बिमल रॉय के सम्पादक एवं सहायक निर्देशक के रूप में की थी। उनका पहला निर्देशन उद्यम था 'मुसाफिर' (1957), जो एक पुराने घर पर केन्द्रित था जहाँ जन्म, विवाह और मृत्यु से सम्बन्धित तीन असम्बन्धित कहानियाँ एक श्रृंखला में घटित होती हैं। निर्देशक राज कपूर उनके काम से काफ़ी प्रभावित हुए और अपनी फ़िल्म 'अनाड़ी' (1959) के लिए निर्देशक के रूप में हृशिदा की ज़ोरदार सिफ़ारिश की। खुद कपूर और नूतन अभिनीत यह फ़िल्म आलोचनात्मक और व्यावसायिक रूप से सफल रही।

उनकी अगली फ़िल्म, 'अनुराधा' 1960 में निकली और फिर 'असली-नकली' (1962), 'अनुपमा' (1966), 'आशीर्वाद' (1968), 'सत्यकाम' (1969) आदि फ़िल्में भी निकली।

फिर 1971 में हृषिदा ने अपनी उत्कृष्ट फ़िल्म आनन्द को बनाया। इस क्लासिक फ़िल्म ने आशा, भय, जीवन और मृत्यु के बीच के सन्तुलन के जटिल लेकिन करुणामय रूप को दिखाया। फ़िल्म में राजेश खन्ना ने एक ऐसे बीमार व्यक्ति की भूमिका निभाई जो मरने से पहले जीवन को पूर्ण रूप से जीना चाहता है। यह 1970 के दशक की एक शुभ शुरुआत थी। यह दशक हृषिदा के लिए एक अच्छा समय साबित हुआ। 'गुड्डी' (1971), 'बावर्ची' (1972), 'अभिमान' (1973), 'चुपके चुपके' (1975), 'गोलमाल' (1979), और 'खुबसूरत' (1980)

आदि फ़िल्मों द्वारा उन्होंने हिन्दी फ़िल्म जगत में अपना झंडा फहराया। इन फ़िल्मों ने मध्यमवर्गीय मानसिकता का एक अत्यन्त कुशल और विस्तृत रूप दिखा दिया।

27 अगस्त, 2006 को किडनी की बीमारी से उनका निधन हो गया।

श्याम बेनेगल–श्याम बेनेगल (जन्म 14 दिसम्बर, 1934) एक भारतीय फ़िल्म निर्देशक, पटकथा लेखक और वृत्तचित्र फ़िल्म निर्माता हैं। अक्सर उन्हें समानान्तर सिनेमा के अग्रदूत के रूप में माना जाता है। व्यापक रूप से कहें तो 1970 के दशक के बाद के महानतम फ़िल्म निर्माताओं में श्याम बेनेगल अग्रणी हैं। उन्हें अठारह राष्ट्रीय फ़िल्म पुरस्कार, एक फ़िल्म फेयर पुरस्कार और एक नंदी पुरस्कार सहित कई पुरस्कार मिले हैं। 2005 में उन्हें सिनेमा के क्षेत्र में भारत के सर्वोच्च पुरस्कार दादा साहेब फाल्के पुरस्कार से सम्मानित किया गया था। 1976 में, उन्हें भारत सरकार द्वारा पद्म श्री से सम्मानित किया गया और 1991 में पद्म भूषण से सम्मानित किया गया।

श्याम बेनेगल का जन्म 14 दिसम्बर, 1934 को सिकन्दराबाद के त्रिमुलगरी में हुआ था। उनके पिता श्रीधर बी एक कैमरा मैन थे। 12 साल की उम्र में श्याम बेनेगल ने अपनी पहली फ़िल्म पिता बेनेगल द्वारा दिये गये कैमरे से बनायी थी। श्याम बेनेगल ने उस्मानिया विश्वविद्यालय के निजाम कॉलेज से अर्थशास्त्र में स्नातक की उपाधि प्राप्त की और वहाँ हैदराबाद फ़िल्म सोसाइटी नामक एक फ़िल्म सोसायटी की स्थापना की।

फ़िल्म जगत में उन्होंने वृत्तचित्र फ़िल्म 'गर बेटा गंगा' के साथ 1962 में प्रवेश किया। इसके एक दशक बाद ही उनकी एक फीचर फ़िल्म निकली थी। 1973 में बनी 'अंकुर' फ़िल्म से श्याम बेनेगल का नाम हिन्दी फ़िल्म जगत में मशहूर हो गया।

शबाना आज़मी और अनन्त नाग का हिन्दी फ़िल्म जगत में प्रवेश इसी फ़िल्म द्वारा ही हुआ।

भारतीय सिनेमा का सत्तर और अस्सी के दशक में अपनी सफलता का श्रेय मुख्य रूप से श्याम बेनेगल की चार फ़िल्मों को जाता है। 'निशान्त' (1975), 'मंथन' (1976) और 'भूमिका' (1977) जैसी फ़िल्मों के साथ भारतीय सिनेमा को बेनेगल ने विश्व मानचित्र पर प्रमुख स्थान दिया। 'जुनून' (1978), 'कलियुग' (1981) 'मन्दी (1983) 'त्रिकाल' (1985) आदि फ़िल्में अस्सी के दशक में निकली थीं।

टेलीविज़न की दुनिया में उन्होंने अपना करिश्मा दिखाया। 1986 में उनके निर्देशन में बने सीरियल 'यात्रा' की काफ़ी सराहना हुई। भारतीय टेलीविज़न इतिहास में सबसे बड़ी परियोजनाओं में से एक 'भारत एक खोज' भी उन्हीं के निर्देशन में निकली थी।

यश चोपड़ा–यश चोपड़ा भारत के सबसे सफल रोमांटिक फ़िल्मों के निर्देशक हैं। हालाँकि उन्होंने हमेशा लोकप्रिय 'दीवार' (1975) जैसी एक्शन-उन्मुख फ़िल्में बनायीं, लेकिन यह फ़िल्म प्यार के विभिन्न पहलुओं को दर्शाती है। उन्होंने अपने बड़े भाई बी. आर.चोपड़ा के साथ मिलकर महान निर्देशक आई.एस.जोहर के सहायक निर्देशक के रूप में अपने काम की शुरुआत की। चोपड़ा भाइयों के स्वतन्त्र निर्देशन में निकली पहली फ़िल्म थी 'धुल का फूल' जो 1959 में निकली। फिर निकली 'वक़्त' (1965) और 'इत्तेफ़ाक' (1969)।

1973 में, चोपड़ा भाई अलग हो गये, यश चोपड़ा ने अपने अलग स्टूडियो की स्थापना की। इसके बाद उन्होंने अमिताभ बच्चन की दो क्लासिक्स फ़िल्में 'दीवार' (1975) और 'कभी कभी' (1976) बनायीं जो भारतीय सिनेमा के

इतिहास के मील पत्थर साबित हुए। 'सिलसिला' (1981), 'फ़ासले' (1985), 'मशाल' (1984), 'विजय' (1988), 'चाँदनी' (1989), 'लम्हे' (1991), 'डर' (1993) आदि उनकी यादगार फ़िल्में हैं।

1995 में, चोपड़ा ने फ़िल्म प्रोडक्शन की ओर रुख किया और उनके बेटे आदित्य चोपड़ा ने अपने निर्देशन की शुरुआत 'दिलवाले दुल्हनिया ले जाएँगे' (1995) से की, जो सिनेमा इतिहास में सबसे लम्बे समय तक चलने वाली प्रारम्भिक रिलीज़ थी।

यश चोपड़ा ने एक और फ़िल्म, 'दिल तो पागल है' (1997) का निर्देशन किया, जो उनके निर्देशन से सेवानिवृत्त होने से पहले एक बड़ी सफलता और एक हिट बन गयी। हालाँकि, 2004 में, उन्होंने 'वीर ज़ारा' (2004) के साथ एक शानदार वापसी की, जिसके बारे में उन्होंने कहा कि यह उनका अन्तिम निर्देशन का प्रयास होगा।

अनुराग कश्यप–अनुराग सिंह कश्यप (जन्म 10 सितम्बर, 1972) एक भारतीय फ़िल्म निर्देशक, निर्माता और पटकथा लेखक हैं। एक फ़िल्मकार के रूप में, उन्हें 1993 के मुम्बई बम विस्फोटों के बारे में एक विवादास्पद और पुरस्कार विजेता हिन्दी फ़िल्म 'ब्लैक फ्राइडे' (2004) के लिए जाना जाता है, इसके बाद 'नो स्मोकिंग' (2007), 'देव डी' (2009), 'गुलाल' (2009), 'दैट गर्ल इन येलो बूट्स' (2011) और 'गैंग्स ऑफ़ वासेपुर' (2012) निकलीं। एक पटकथा लेखक के रूप में, उन्होंने फ़िल्म फेयर पुरस्कार विजेता 'सत्या' (1998) और अकादमी पुरस्कार-नामांकित कनेडियन फ़िल्म 'वाटर' (2005) के लिए पटकथाएँ लिखीं। 2009 में उन्होंने अपनी फ़िल्म निर्माण कम्पनी, अनुराग कश्यप फ़िल्म्स प्राइवेट की स्थापना की।

विशाल भारद्वाज–विशाल भारद्वाज एक भारतीय फ़िल्म निर्देशक, लेखक, संगीतकार, गायक और निर्माता हैं। उन्होंने दस फीचर फ़िल्मों का निर्देशन किया है, पाँच का निर्माण किया है और चालीस से अधिक के लिए संगीत तैयार किया है। उनके निर्देशन में बनी, 'द ब्लू अम्ब्रेला', 'कमीने', '7 ख़ून माफ़', 'मातृ की बिजली का मंडोला', 'रंगून', 'पटाखा' के साथ-साथ अन्तरराष्ट्रीय स्तर पर प्रशंसित शेक्सपियर

त्रयी- 'मकबूल', 'ओमकारा' और 'हैदर' (क्रमशः मैकबेथ, ओथेलो और हैमलेट से अनुकूलित) शामिल हैं। उनके द्वारा लिखित और निर्मित प्रमुख फ़िल्में 'इश्किया', 'डेढ़ इश्किया' और 'तलवार' हैं।

आज हिन्दी सिनेमा के क्षेत्र में कई निर्देशक हैं जिन्होंने सिनेमा को निरे उद्योग के बजाय कला के माध्यम के रूप में देखकर उसका गहन ज्ञान प्राप्त किया है। आशुतोष गौरीकर, राजकुमार हिरानी, संजय लीला भंसाली, ज़ोया अक्तर जैसे कई प्रतिभाशाली निर्देशकों ने हिन्दी सिनेमा में अपना शानदार योगदान दिया है। हिन्दी सिनेमा ऐसे प्रतिभाशाली लोगों के हाथों में हमेशा सुरक्षित रहेगा।

प्रमुख अभिनेता

दिलीप कुमार–दिलीप कुमार को भारतीय सिनेमा के महानतम अभिनेताओं में से एक माना जाता है। 1944 में अपने करियर की शुरुआत करते हुए, उन्होंने 1949-1961 की अवधि में कुछ सबसे बड़ी व्यावसायिक रूप से सफल फ़िल्मों में अभिनय किया। वह फ़िल्म फेयर सर्वश्रेष्ठ अभिनेता पुरस्कार प्राप्त करने वाले पहले अभिनेता थे और सबसे ज्यादा बार फ़िल्म फेयर पुरस्कार जीतने का रिकॉर्ड भी रखते हैं। उन्होंने विभिन्न शैलियों की फ़िल्में की हैं। उन्होंने 'अंदाज़' (1949) 'आन' (1952), 'देवदास' (1955) जैसी गम्भीर फ़िल्मों के साथ-साथ हास्यपूर्ण किस्म की फ़िल्म 'आज़ाद' (1955) और ऐतिहासिक रोमांस 'मुग़ल-ए-आज़म' (1960) जैसी भूमिकाओं के साथ अपनी सर्वतोन्मुखी प्रतिभा का परिचय दिया। हिन्दी फ़िल्मी जगत में वे ट्रेजेडी किंग के नाम से भी मशहूर है।

1944-1961 तक वे मुख्य रूप से प्रेम कहानियों में दुखद भूमिकाएँ अदा करने में माहिर जाने जाते थे। 1966 से 1976 तक की अवधि में उनकी ज़्यादातर फ़िल्में बॉक्स ऑफ़िस पर फ्लॉप रहीं, जैसे 'दिल दिया दर्द लिया', संघर्ष', 'आदमी', 'दास्तान', 'गोपी' आदि। उन्होंने 1981 में मल्टी-स्टारर फ़िल्म 'क्रांति' के साथ वापसी की, जो उस साल की सबसे बड़ी हिट थी। उसके बाद उन्होंने कई फ़िल्मों में बुज़ुर्ग चरित्र की भूमिकाएँ निभायी।

दिलीप कुमार का असली नाम मुहम्मद युसुफ खान है और 1922 में पेशावर में उनका जन्म हुआ। उनको फ़िल्म के लिए दिलीप कुमार नाम दिया था उस ज़माने की मशहूर अभिनेत्री देविका रानी ने जिनके साथ दिलीप कुमार ने कई फ़िल्मों में काम किया था। प्रमुख फ़िल्मकार सत्यजीत राय ने दिलीप कुमार को 'द अल्टीमेट मेथड एक्टर' कहा था। 7 जुलाई, 2021 को 98 वर्ष की आयु में दिलीप कुमार का निधन हो गया।

अशोक कुमार–अशोक कुमार आज़ादी के पहले से लेकर बाद तक भारत के सबसे प्रसिद्ध अभिनेताओं में से एक थे। बंगाली फ़िल्म निर्माता हिमांशु राय के एक युवा सहायक के रूप में उन्होंने अपने करियर की शुरुआत की। सौभाग्य से 'जीवन नैया' (1936) नामक फ़िल्म में उन्हें मुख्य भूमिका अदा करने का मौक़ा मिला। यही उनकी शुरुआत थी। उसी वर्ष 'अछूत कन्या' में देविका रानी के साथ उनकी अगली फ़िल्म निकली जिसे काफ़ी सफलता मिली। 'अछूत कन्या' की सफलता ने अशोक कुमार और देविका रानी को उस युग की सबसे लोकप्रिय ऑन-स्क्रीन जोड़ी के रूप में स्थापित किया।

अशोक कुमार का जन्म बिहार के भागलपुर में एक बंगाली हिन्दू ब्राह्मण परिवार में हुआ था। उनका असली नाम था कुमुदलाल गांगुली। अमर गायक किशोर कुमार उनके सबसे छोटे भाई हैं।

उनकी सबसे पहली मेगा-हिट फ़िल्म थी 1943 में निकली 'किस्मत' जिसके निर्देशक थे ज्ञान मुखर्जी जो बॉम्बे और कलकत्ता में तीन साल तक चली और हिन्दी भाषा की पहली मेगा-हिट में से एक थी। अपने करिश्माई प्रदर्शन और अपने प्रतिभाशाली गायन के माध्यम से उन्हें राष्ट्रीय ख्याति मिली। उसके बाद से अशोक कुमार एक प्रतिष्ठित अभिनेता बन गये जो 200 से अधिक हिन्दी और कुछ अन्य भारतीय भाषा की फ़िल्मों में दिखाई दिये, या तो रोमांटिक भूमिकाएँ निभाते हुए या खलनायक को धमकाते हुए।

'किस्मत' के बाद, अशोक कुमार उस दौर के सबसे सफल स्टार बन गये, जिसने 'चल चल रे नौजवान' (1944), 'शिकारी' (1946), 'साजन' (1947), 'महल' (1949), 'मशाल' (1950), 'संग्राम' (1950) और 'समाधि' (1950) आदि कई फ़िल्मों में अपनी अदाकारी दिखायी। 1950 के दशक के आगमन के साथ अशोक कुमार ने अधिक परिपक्व भूमिकाओं में अभिनय किया। अशोक कुमार ने 1960 और 1970 के दशक में कई सफल फ़िल्मों में महत्त्वपूर्ण भूमिकाएँ निभायीं, जिनमें 'ज्वेल थीफ' (1967), 'आशीर्वाद' (1968) (जिसके लिए उन्होंने 1969 में फ़िल्म फेयर पुरस्कार के साथ-साथ राष्ट्रीय पुरस्कार भी जीता), 'पूरब और पश्चिम' (1970) 'पाकीज़ा' (1972), 'मिली' (1975), 'छोटी सी बात' (1975) और 'ख़ूबसूरत' (1980) शामिल हैं।

अभिनय के अलावा, वह एक शौक़ीन चित्रकार और होम्योपैथी के चिकित्सक थे। 90 वर्ष की आयु में मुम्बई में 10 दिसम्बर, 2001 को चेंबूर में अपने आवास पर हृदय गति रुकने से उनका निधन हो गया।

देविका रानी–देविका रानी चौधरी (30 मार्च, 1908-9 मार्च, 1994) जिन्हें आमतौर पर देविका रानी के नाम से जाना जाता है एक सफल अभिनेत्री थीं जो 1930 और 1940 के दशक के दौरान हिन्दी फ़िल्मों में सक्रिय थीं। उन्हें भारतीय सिनेमा की पहली महिला का दर्जा प्राप्त है। एक अमीर अंग्रेज़ भारतीय परिवार में जन्मी, देविका रानी को नौ साल की उम्र में इंग्लैंड के बोर्डिंग स्कूल में भेज दिया गया और उसी देश में पलीं-बढ़ीं। 1928 में, वह एक भारतीय फ़िल्म-निर्माता हिमांशु राय से मिलीं और अगले वर्ष उनसे शादी कर ली। उन्होंने राय की मूक फ़िल्म 'ए थ्रो ऑफ़ डाइस' (1929) के लिए पोशाक डिजाइन और कला निर्देशन में सहायता की। इसके बाद राय ने अंग्रेज़ी और हिन्दी में एक साथ बनी द्विभाषी फ़िल्म 'कर्मा' (1933) में ख़ुद को नायक और देविका रानी को नायिका के रूप में कास्ट किया। फ़िल्म का प्रीमियर इंग्लैंड में 1933 में हुआ था और भारत में यह फ़िल्म बुरी तरह से फ्लॉप हो गयी। 1934 में यह जोड़ा भारत लौट आया, जहाँ हिमांशु राय ने कुछ अन्य लोगों के साथ साझेदारी में एक प्रोडक्शन स्टूडियो, बॉम्बे टॉकीज़ की स्थापना की। स्टूडियो ने अगले 5-6 वर्षों में कई सफल फ़िल्मों का निर्माण किया, और उनमें से कई में देविका रानी ने मुख्य

भूमिका निभाई। अशोक कुमार के साथ उनकी ऑन-स्क्रीन जोड़ी भारत में लोकप्रिय हुई। उन दोनों ने दस फ़िल्मों में अभिनय किया, जिनमें से अधिकांश बॉम्बे टॉकीज प्रोडक्शंस से थीं। 'जीवन नैया' (1935), 'अछूत कन्या' (1936), 'जीवन प्रभात' (1937), 'इज्ज़त' (1937), 'निर्मला', 'वचन' (1938), 'दुर्गा' (1939) जैसे कतिपय यादगार फ़िल्में सहृदयों को देने में देविका रानी कामयाब हुईं।

1940 में राय की मृत्यु के बाद, देविका रानी ने स्टूडियो पर नियन्त्रण कर लिया और अपने दिवंगत पति के सहयोगियों, जैसे शशधर मुखर्जी और अशोक कुमार के साथ साझेदारी में कुछ और फ़िल्मों का निर्माण किया। 1945 में, उन्होंने फ़िल्मों से संन्यास ले लिया, रूसी चित्रकार स्वेतोस्लाव रोरिक से शादी की और बंगलौर में रहने लगीं। उनका व्यक्तित्व सामाजिक रूप से अपरम्परागत माना जाता था। उनके पुरस्कारों में पद्मश्री (1958), दादा साहब फाल्के पुरस्कार (1970) और सोवियत भूमि नेहरू पुरस्कार (1990) शामिल हैं।

9 मार्च, 1994 को बंगलौर में ब्रोंकाइटिस से उनकी मृत्यु हो गयी। भारतीय सिनेमा की स्थिति को वैश्विक मानकों पर ले जाने वाली शुरुआती हस्तियों में से एक थीं देविका रानी।

मधुबाला–मधुबाला (मुमताज जहान बेगम देहलवी; 14 फ़रवरी, 1933 - 23 फ़रवरी, 1969) हिन्दी अभिनेत्री और निर्माता थीं, जिन्होंने कई हिन्दी भाषा की फ़िल्मों में काम किया। वह स्वतन्त्रता के बाद के युग में भारत में सबसे अधिक भुगतान पाने वाली अभिनेत्रियों में से एक थीं। 20 से अधिक वर्षों के करियर में, मधुबाला मुख्य रूप से केवल

एक दशक के लिए सक्रिय थीं, लेकिन 1969 में उनकी मृत्यु के समय तक 60 से अधिक फ़िल्मों में काम कर चुकी थीं।

दिल्ली में जन्मी और पली-बढ़ी मधुबाला 8 साल की उम्र में अपने परिवार के साथ मुम्बई चली गयीं और कुछ ही समय बाद कई फ़िल्मों में छोटी भूमिकाओं में दिखाई दीं। 1940 के दशक के अन्त में मधुबाला प्रमुख भूमिकाओं में आगे बढ़ीं, और 'नील कमल' (1947) 'महल' (1949), 'बादल' (1951) तराना (1951) जैसी कई फ़िल्मों के साथ सफलता अर्जित की। 'मिस्टर एंड मिसेज 55' (1955), 'चलती का नाम गाड़ी' (1958) और 'हाफ टिकट' (1962), अपराध

फ़िल्मों 'हावड़ा ब्रिज' और 'काला पानी' में अपनी भूमिकाओं के साथ मधुबाला ने अन्तरराष्ट्रीय स्तर पर प्रसिद्धि हासिल की।

ऐतिहासिक महाकाव्य नाटक 'मुग़ल-ए-आज़म' (1960) में मधुबाला की अनारकली की भूमिका ने उन्हें व्यापक प्रशंसा और सर्वश्रेष्ठ अभिनेत्री श्रेणी में फ़िल्म फेयर पुरस्कार के लिए नामांकित किया। इसके अतिरिक्त, उन्होंने अपने प्रोडक्शन हाउस मधुबाला प्राइवेट लिमिटेड के तहत तीन फ़िल्मों का निर्माण किया।

1960 में मधुबाला ने पार्श्व गायक किशोर कुमार से शादी की। दिल की बीमारी से 1969 में उनकी अकाल मृत्यु हो गयी।

राज कपूर–राज कपूर, असली नाम सृष्टि नाथ कपूर या रणबीर राज कपूर के नाम से भी जाना जाता है (14 दिसम्बर, 1924-2 जून, 1988) एक भारतीय अभिनेता, फ़िल्म निर्माता और फ़िल्म निर्देशक थे जिन्हें हिन्दी सिनेमा में शोमैन के नाम से जाना जाता है। उन्हें तीन राष्ट्रीय फ़िल्म पुरस्कार और 11 फ़िल्म फेयर पुरस्कारों सहित कई पुरस्कार मिले। फ़िल्म फेयर लाइफ टाइम अचीवमेंट अवार्ड का नाम कपूर के नाम पर रखा गया है। उन्होंने दो फ़िल्मों, 'आवारा' (1951) और 'बूट पोलिश' (1954) का निर्माण किया। आवारा में उनके प्रदर्शन को टाइम पत्रिका द्वारा ''विश्व सिनेमा में शीर्ष दस महानतम प्रदर्शनों'' में से एक के रूप में स्थान दिया गया था।

राज कपूर प्रसिद्ध भारतीय अभिनेता पृथ्वीराज कपूर के बेटे थे, जिन्होंने फ़िल्म और मंच दोनों में अभिनय किया। 1940 के दशक में बॉलीवुड प्रोडक्शन स्टूडियो में प्रशिक्षु होने के बाद 24 साल की उम्र में राज कपूर ने अपनी नयी कम्पनी आर.के फ़िल्म्स के साथ 'आग' (1948) का निर्माण, निर्देशन और अभिनय किया। उनकी अगली फ़िल्म 'बरसात' (1949) हिट रही। 1951 में, उन्होंने 'आवारा' का निर्माण, निर्देशन और अभिनय भी किया, जो एक और मेगाहिट थी। आवारा ने रूस में भी लोकप्रिय प्रशंसा प्राप्त की, जहाँ फ़िल्म और गीतों को रूसी में डब किया गया था। थीम गीत, 'आवारा हूँ' पूर्व में कई वर्षों से लोकप्रिय था। इस फ़िल्म ने कपूर को "एक महान शोमैन" और शुद्ध रोमांटिक फ़िल्मों का निर्माता करार दिया क्योंकि उन्होंने मनोरंजन के साथ-साथ अपने दिल के करीब सामाजिक विषयों को सम्बोधित करने का प्रयास किया। 'श्री 420' (1955) में उन्होंने नये भारत में गरीबी, बेरोज़गारी और राष्ट्रीय गौरव के मुद्दों को सम्बोधित किया और साथ ही रोमांटिक कथानक के प्रति दर्शकों की रुचि को बनाये रखा। उनकी कई फ़िल्में अपनी मासूमियत और अखण्डता को बनाये रखते हुए आर्थिक और पर्यावरणीय अन्याय को दूर करने की व्यक्ति की क्षमता का पता लगाती हैं।

कला में उनके योगदान के लिए 1971 में भारत सरकार ने उन्हें पद्मभूषण से सम्मानित किया। सिनेमा में भारत का सर्वोच्च पुरस्कार, दादा साहब फाल्के पुरस्कार, उन्हें 1987 में भारत सरकार द्वारा प्रदान किया गया था।

वह चार्ली चैपलिन से प्रेरित थे और उनको भारतीय सिनेमा के चार्ली चैपलिन के रूप में जाना जाता था।

राज कपूर अपने बाद के वर्षों में अस्थमा से पीड़ित थे। 1988 में 63 वर्ष की आयु में बीमारी से सम्बन्धित जटिलताओं से उनकी मृत्यु हो गयी। अपनी मृत्यु के समय, वह फ़िल्म 'हेन्ना' (एक भारत-पाकिस्तान आधारित प्रेम कहानी) पर काम कर रहे थे। फ़िल्म को बाद में उनके बेटों रणधीर कपूर और ऋषि कपूर ने पूरा किया और 1991 में रिलीज़ हुई।

नरगिस–नरगिस या फातिमा राशिद (1 जून, 1929-3 मई, 1981) एक हिन्दी अभिनेत्री और राजनीतिज्ञ थीं जिन्हें भारतीय सिनेमा के इतिहास में सबसे महान अभिनेत्रियों में से एक के रूप में माना जाता है। उन्होंने 'तलाश-ए-हक' (1935) के साथ पाँच साल की उम्र में एक छोटी-सी भूमिका में अपनी शुरुआत की, लेकिन उनका अभिनय करियर वास्तव में शुरू हुआ फ़िल्म 'तमन्ना' (1942) के साथ।

तीन दशकों के करियर में नरगिस कई व्यावसायिक रूप से सफल और समीक्षकों द्वारा प्रशंसित फ़िल्मों में दिखाई दीं। जिनमें से कई में उन्होंने अभिनेता राज कपूर के साथ अभिनय किया। उनकी सबसे प्रसिद्ध भूमिका अकादमी पुरस्कार-नामांकित 'मदर इंडिया'

(1957) में राधा की थी, एक ऐसा प्रदर्शन जिसने उन्हें सर्वश्रेष्ठ अभिनेत्री का फ़िल्म फेयर पुरस्कार दिलाया।

वह 1960 के दशक के दौरान फ़िल्मों में कम ही दिखाई देती थीं। इस अवधि की उनकी कुछ फ़िल्मों में 'रात और दिन' (1967) शामिल है, जिसके लिए उन्हें सर्वश्रेष्ठ अभिनेत्री का राष्ट्रीय फ़िल्म पुरस्कार मिला। 'तकदीर', 'आग', 'अंदाज', 'श्री 420', 'जोगन', 'बाबुल', 'बरसात' आदि उनकी यादगार फ़िल्में हैं।

उन्हें 1980 से 1981 तक राज्यसभा के लिए भी नामित किया गया था। लेकिन कैंसर के कारण वह बीमार पड़ गयीं और उसी कार्यकाल के दौरान उनकी मृत्यु हो गयी।

राजेश खन्ना–राजेश खन्ना या जतिन खन्ना (29 दिसम्बर, 1942-18 जुलाई, 2012) एक भारतीय अभिनेता, फ़िल्म निर्माता और राजनीतिज्ञ थे जिन्हें 'भारतीय सिनेमा का पहला सुपरस्टार' कहा जाता है। उन्होंने 1969 और 1971 के बीच लगातार 15 सफल फ़िल्मों में अभिनय किया। वे 1970 और 1980 के दशक में हिन्दी सिनेमा में सबसे अधिक भुगतान पाने वाले अभिनेता थे। उनकी प्रशंसा में चार बी.ए.फ.जे.ए. (Bengal Film Journalists' Association Awards) पुरस्कार और पाँच

फ़िल्म फेयर पुरस्कार शामिल हैं और 2013 में उन्हें मरणोपरान्त पद्मभूषण से सम्मानित किया गया था। 48 प्लेटिनम जुबली हिट्स, 26 गोल्डन जुबली हिट्स, 22 सिल्वर जुबली हिट्स और 9 एवरेज हिट्स के साथ वे 25 वर्षों तक हिन्दी फ़िल्मी दुनिया के अजेय अभिनेता बने रहे।

खन्ना ने 1966 में 'आख़िरी ख़त' के साथ अपनी शुरुआत की, जो 1967 में भारत की पहली आधिकारिक ऑस्कर एंट्री थी। 1969 में राजेश खन्ना ने शक्ति सामंथा की 'आराधना' से सुपर-स्टारडम हासिल किया।

पूरा देश उनका दीवाना बन गया और भारत भर के आलोचकों ने उन्हें भारतीय सिनेमा और हिन्दी फ़िल्म दोनों का पहला सुपरस्टार कहना शुरू कर दिया और 7 साल (1969-1976) तक सुपरस्टार के दर्जे के वे अकेले हकदार रहे। 1977-1991 तक उन्हें यह स्थान अमिताभ बच्चन के साथ साझा करना पड़ा।

वह 1992 और 1996 के बीच नयी दिल्ली लोकसभा निर्वाचन क्षेत्र से 10वीं लोकसभा में संसद सदस्य थे, 1992 में नयी दिल्ली उप-चुनाव में भारतीय राष्ट्रीय कांग्रेस के उम्मीदवार के रूप में चुने गये।

उनके और उनके पूर्ववर्तियों, उत्तराधिकारियों, समकालीनों के बीच मुख्य अन्तर यह था कि खन्ना की फ़िल्में न केवल हिन्दी क्षेत्रों में बल्कि पूरे भारत में सफलतापूर्वक चलती थीं और उन्होंने हर शैली की फ़िल्में एक साथ कीं और अन्य सभी हिन्दी अभिनेताओं की तुलना में समीक्षकों द्वारा प्रशंसित फ़िल्मों को उनके क्रेडिट में अधिक श्रेय दिया गया।

2005 में, उन्हें फ़िल्म फेयर अवार्ड्स की 50 वीं वर्षगाँठ पर फ़िल्म फेयर लाइफ टाइम अचीवमेंट अवार्ड से सम्मानित किया गया। 2012 में कैंसर की बीमारी से ग्रस्त होकर उनकी मृत्यु हो गयी।

अमिताभ बच्चन–अमिताभ बच्चन (11 अक्टूबर, 1942) एक भारतीय अभिनेता, फ़िल्म निर्माता, टेलीविज़न होस्ट, सामयिक पार्श्व गायक और पूर्व राजनीतिज्ञ हैं जिन्हें भारतीय सिनेमा के इतिहास में सबसे प्रभावशाली अभिनेताओं में से एक माना जाता है। 1970-1980 के दशक के दौरान, वह भारतीय फ़िल्म परिदृश्य में सबसे प्रभावशाली अभिनेता थे; फ्रांसीसी निर्देशक फ्रांकोइस ट्रूफ़ो (Francois Truffaut) ने उन्हें 'वन-मैन इंडस्ट्री' कहा।

1942 में इलाहाबाद में जन्मे अमिताभ बच्चन हिन्दी कवि हरिवंश राय बच्चन और उनकी पत्नी सामाजिक कार्यकर्ता तेजी बच्चन की प्रथम सन्तान है। उनका फ़िल्मी करियर 1969 में मृणाल सेन की फ़िल्म 'भुवन शोम' में एक आवाज़ कलाकार (Voice Narrator) के रूप में शुरू हुआ। 1970 के दशक की शुरुआत में 'ज़ंजीर', 'दीवार' और 'शोले' जैसी फ़िल्मों के द्वारा उन्होंने लोकप्रियता हासिल की, और हिन्दी फ़िल्मों में उनकी ऑन-स्क्रीन भूमिकाओं के लिए उन्हें भारत का 'एंग्री यंग मैन' करार दिया गया।

उन्हें बॉलीवुड का शहंशाह भी कहते हैं क्योंकि अस्सी साल के होने के बावजूद आज भी वे फ़िल्मी दुनिया में सक्रिय है और उनकी फ़िल्में हिट होती जा रही हैं। तभी तो सदी का महानायक, बिग बी, स्टार ऑफ़ द मिल्लेनियम आदि कई विशेषणों से वे नवाज़े जाते हैं। 'चुपके-चुपके', 'फरार', 'मिली', 'अभिमान',

'अमर-अकबर-अंटोनी', 'मुकद्दर का सिकन्दर', 'शान', 'कालिया', 'लावारिस', 'याराना', 'राम बलराम', 'नसीब', 'दीवार', 'शक्ति' आदि फ़िल्मों ने अमिताभ को सुपर स्टारडम दे दिया। सचमुच वे हिन्दी फ़िल्म के बादशाह बन गये।

उन्होंने 1980 के दशक में कुछ समय के लिए राजनीति में भी प्रवेश किया। राजनीति में फ़िल्मों की तरह वे सफलता हासिल नहीं कर सके। इसलिए तीन साल के बाद राजनीति से संन्यास लेकर वे वापस फ़िल्मी दुनिया में आये।

बच्चन की सबसे बड़ी सफलता यह है कि बदलते दौर के अनुसार अपनी उम्र के लिए उपयुक्त भूमिकाएँ निभाने में वे आगे आये। 'मोहबतें', 'कभी ख़ुशी कभी ग़म', 'बाग़बान', 'आँखें', 'ब्लैक', 'पा', 'चीनी कम कम', 'सरकार' आदि कतिपय फ़िल्मों में वे परिपक्व भूमिका निभाते नज़र आये जो काफ़ी हिट निकलीं। अभिनेता की सफलता इसी में है कि वे किस प्रकार की भूमिका चुनते हैं। इस बात में अमिताभ बच्चन अग्रणी हैं।

अपने करियर में उन्होंने कई पुरस्कार जीते हैं, जिसमें सर्वश्रेष्ठ अभिनेता के रूप में चार राष्ट्रीय फ़िल्म पुरस्कार, आजीवन उपलब्धि पुरस्कार के रूप में दादा साहेब फाल्के पुरस्कार और अन्तरराष्ट्रीय फ़िल्म समारोहों और पुरस्कारों में कई पुरस्कार शामिल हैं। उन्होंने सोलह फ़िल्म फेयर पुरस्कार जीते हैं और कुल मिलाकर 42 नामांकन के साथ फ़िल्म फेयर में किसी भी प्रमुख अभिनय श्रेणी में सबसे अधिक नामांकित कलाकार हैं। अभिनय के अलावा, बच्चन ने पार्श्व गायक, फ़िल्म निर्माता और टेलीविज़न प्रस्तोता के रूप में काम किया है। उन्होंने गेम शो 'कौन बनेगा करोड़पति' के कई सीज़न की मेजबानी की है।

हेमा मालिनी–हेमा मालिनी (जन्म 16 अक्टूबर, 1948) एक भारतीय अभिनेत्री, निर्देशक, निर्माता और राजनीतिज्ञ हैं। हिन्दी फ़िल्म क्षेत्र में उन्हें ड्रीम गर्ल के नाम से पुकारा जाता है। हेमा मालिनी ने 1963 में तमिल फ़िल्म 'इतुसत्यम' से अभिनय की शुरुआत की। हिन्दी में उन्होंने पहली बार 'सपनों का सौदागर' (1968) में मुख्य भूमिका निभाई। पर वह फ़िल्म सफल नहीं निकली।

'जॉनी मेरा नाम' (1970) में मालिनी ने मुख्य भूमिका निभायी थी। 'अन्दाज़' (1971), 'लाल पत्थर' (1971), 'ड्रीम गर्ल' (1977) जैसी बाद की फ़िल्मों ने उन्हें एक प्रमुख अभिनेत्री के रूप में स्थापित किया। 1972 में, उन्होंने सीता और गीता में धर्मेन्द्र और संजीव कुमार के साथ दोहरी भूमिका निभाई, जिसने उन्हें फ़िल्म के लिए सर्वश्रेष्ठ अभिनेत्री का फ़िल्म फेयर पुरस्कार दिलाया।

उनके द्वारा अभिनीत सफल फ़िल्मों की सूची में 'संन्यासी', 'धर्मात्मा और प्रतिज्ञा', 'शोले', 'त्रिशूल', 'क्रान्ति', 'सत्ते पे सता', 'नसीब', 'रज़िया सुल्ताना', 'अलीबाबा और चालीस चोर', 'एक चादर माली' जैसे अनेक नाम शामिल हैं। हास्य और नाटकीय दोनों भूमिकाओं में अभिनय के लिए जानी जाने वाली, वह मुख्यधारा के हिन्दी सिनेमा की सबसे सफल अग्रणी अभिनेत्रियों में से एक हैं।

2003 से 2009 तक, उन्होंने राज्यसभा के लिए एक सांसद के रूप में कार्य किया। 2014 में लोकसभा के आम चुनावों में वे भाजपा की उम्मीदवार थीं और चुनी गयीं। राजनीति और फ़िल्मों में अभिनय दोनों को वे साथ लेकर चलती हैं।

रेखा–भानुरेखा गणेशन (जन्म 10 अक्टूबर, 1954 जिनका फ़िल्मी नाम रेखा है, भारतीय सिनेमा में बेहतरीन अभिनेत्रियों में से एक के रूप में पहचानी जाती हैं। उन्होंने 180 से अधिक फ़िल्मों में अभिनय किया है और एक राष्ट्रीय फ़िल्म पुरस्कार और तीन फ़िल्म फेयर पुरस्कारों सहित कई पुरस्कारों की प्राप्तकर्ता हैं। उन्होंने मुख्यधारा और स्वतन्त्र दोनों तरह की फ़िल्मों में अक्सर मज़बूत और जटिल महिला किरदार निभाये हैं। 2010 में, भारत सरकार ने उन्हें पद्मश्री से सम्मानित किया।

भानुरेखा का जन्म 10 अक्टूबर, 1954 को तमिल भाषी परिवार में हुआ था। उनके पिता लोकप्रिय तमिल अभिनेता, जेमिनी गणेशन थे और उनकी माँ एक लोकप्रिय तेलुगु अभिनेत्री, पुष्पावल्ली थीं। भानुरेखा ने 1966 के दौरान अपनी माँ के साथ एक तेलुगु फ़िल्म 'रंगुला रत्नम' में बेबी भानुरेखा के रूप में अभिनय किया, जिसे बाद में 1976 में 'रंगीला रतन' (1976) के नाम से हिन्दी में रिलीज़ किया गया। 1970 में रेखा को नवीन निश्चल के साथ 'सावन भादों' (1970) के साथ अभिनय करने का मौक़ा मिला। यहीं से भानुरेखा रेखा

बन गयीं। अभिनेत्री बनने का उनका इरादा पक्का था, इसलिए उन्होंने हिन्दी सीखी और कई चुनौतियों का सामना करके बॉलीवुड की सक्षम और सफल अभिनेत्री बन गयीं। उनकी फ़िल्में एक के बाद एक करके बॉक्स ऑफिस में हिट बन गयीं। जैसे 'नागिन' (1976), 'मुकद्दर का सिकन्दर' (1978), 'मिस्टर नटवरलाल' (1979), 'ख़ूबसूरत' (1980), 'उमराव जान' (1981), 'ख़ून भरी माँग' (1988) आदि। कॉमेडी फ़िल्म 'खूबसूरत' (1980) में अपने प्रदर्शन के लिए, रेखा को सर्वश्रेष्ठ अभिनेत्री का पहला फ़िल्मफ़ेयर पुरस्कार मिला। उन्होंने समानान्तर सिनेमा में क़दम रखा, जो नव-यथार्थवादी आर्ट हाउस फ़िल्मों का एक आन्दोलन था। इन फ़िल्मों में 'कलयुग' (1981), 'विजेता' (1982) और 'उत्सव' (1984) जैसी फ़िल्में शामिल थीं।

'उमराव जान' (1981) के अभिनय ने उन्हें सर्वश्रेष्ठ अभिनेत्री का राष्ट्रीय फ़िल्म पुरस्कार दिलाया। उन्होंने 'ख़ून भरी माँग' (1988) जैसी महिला-केन्द्रित फ़िल्मों के एक नये चलन का नेतृत्व किया, जिसके लिए उन्होंने फ़िल्म फेयर में दूसरा सर्वश्रेष्ठ अभिनेत्री का पुरस्कार जीता।

2000 के दशक के दौरान जुबैदा और लज्जा में उनकी सहायक भूमिकाओं

के लिए उन्हें काफ़ी सराहा गया और बाद में उन्होंने माँ की भूमिकाएँ निभानी शुरू कर दी जिनमें से विज्ञान कथा 'कोई मिल गया' (2003) और इसके सीक्वल 'क्रिश' (2006) में उनकी भूमिका थी। रेखा को 2012 में राज्यसभा सदस्य के रूप में भी नामित किया गया है। उनका कार्यकाल 2018 में समाप्त हो गया।

शाहरुख खान–शाहरुख खान (2 नवम्बर, 1965), जिसे एस.आर.के के नाम से भी जाना जाता है, एक भारतीय अभिनेता, फ़िल्म निर्माता और टेलीविज़न व्यक्तित्व हैं जिन्हें 'बॉलीवुड के बादशाह' और 'किंग खान' के रूप में सन्दर्भित किया जाता है। उन्होंने 80 से अधिक फ़िल्मों में अभिनय किया, और 14 फ़िल्म फेयर पुरस्कार सहित कई प्रशंसा अर्जित की। भारत सरकार ने उन्हें पद्मश्री से सम्मानित किया है। दर्शकों की संख्या और आय के मामले में, उन्हें दुनिया के सबसे सफल फ़िल्मी सितारों में से एक के रूप में वर्णित किया गया है।

अब्दुर रहमान 'शाहरुख' खान का जन्म 2 नवम्बर, 1965 को नयी दिल्ली में मीर ताज मोहम्मद खान और लतीफ फातिमा खान के घर हुआ था।

उन्होंने व्यावसायिक रूप से सफल 'दीवाना' (1992) के साथ अपनी फ़िल्म की शुरुआत की। उन्होंने 'डर' (1993), 'बाजीगर' (1993), और

'अंजाम' (1994) जैसी फ़िल्मों में अपनी खलनायक भूमिकाओं से बॉक्स ऑफिस पर सफलता हासिल करना शुरू किया।

बॉलीवुड फ़िल्म उद्योग में उन्होंने आठ फ़िल्म फेयर सर्वश्रेष्ठ अभिनेता पुरस्कार जीते, जो किसी भी अभिनेता द्वारा उच्चतम है और बॉक्स ऑफ़िस पर महत्त्वपूर्ण सफलता हासिल की। उनकी कई फ़िल्मों ने बॉक्स ऑफ़िस पर महत्त्वपूर्ण सफलता हासिल की जिनमें 'कुछ कुछ होता है' (1998), 'ओम शांति ओम' (2007), 'दिलवाले दुल्हनिया ले जायेंगे' (1995), 'दिल तो पागल है' (1997), 'मोहब्बतें' (2000), 'कभी ख़ुशी कभी ग़म' (2001), 'देवदास' (2002), 'मैं हूँ ना', 'स्वदेश' (2004), 'चक दे इंडिया' (2007) 'माई नेम इज खान' (2010), 'चेन्नई एक्सप्रेस' (2013), 'हैप्पी न्यू ईयर' (2014), 'दिलवाले' (2015), 'रईस' (2017) आदि शामिल हैं।

उनकी कई फ़िल्में भारतीय राष्ट्रीय पहचान और प्रवासी समुदायों या लिंग, नस्लीय, सामाजिक और धार्मिक मतभेदों और शिकायतों के साथ सम्बन्धों को प्रदर्शित करती हैं।

उन्हें 14 फ़िल्म फेयर पुरस्कार मिले हैं। हालाँकि उन्होंने कभी भी राष्ट्रीय फ़िल्म पुरस्कार नहीं जीता है, उन्हें 2005 में भारत सरकार द्वारा पद्म श्री से सम्मानित किया गया था।

आमिर खान–मोहम्मद आमिर हुसैन खान (14 मार्च, 1965) एक भारतीय अभिनेता, फ़िल्म निर्देशक और निर्माता हैं जिन्होंने अपने 30 साल से अधिक के करियर के दौरान, खुद को भारतीय सिनेमा के सबसे लोकप्रिय और प्रभावशाली अभिनेताओं में से एक के रूप में स्थापित किया है। खान कई पुरस्कारों के प्राप्तकर्ता हैं, जिनमें नौ फ़िल्म फेयर पुरस्कार और चार राष्ट्रीय फ़िल्म पुरस्कार शामिल हैं। उनकी एक फ़िल्म को अकादमी पुरस्कार नामांकन भी मिला है। उन्हें भारत सरकार द्वारा 2003 में पद्मश्री और 2010 में पद्मभूषण से सम्मानित किया गया और 2017 में चीन सरकार से मानद उपाधि प्राप्त की।

आमिर खान का जन्म 14 मार्च, 1965 को मुम्बई में हुआ था। वह सबसे सफल भारतीय बॉलीवुड अभिनेताओं में से एक हैं जिन्हें 'बॉलीवुड के मिस्टर परफेक्शनिस्ट' के रूप में भी जाना जाता है। भारतीय और चीनी दोनों तरह के फ़िल्म बाज़ारों में अपनी सफलताओं के साथ, उन्होंने दुनिया के सबसे बड़े सुपरस्टारों में से एक बनने के लिए अपना रास्ता बना लिया है।

खान पहली बार अपने चाचा नासिर हुसैन की फ़िल्म 'यादों की बारात' (1973) में एक बाल कलाकार के रूप में पर्दे पर दिखाई दिये। उन्होंने 'कयामत से कयामत तक' (1988) में एक प्रमुख भूमिका के साथ पूर्णकालिक अभिनय करियर की शुरुआत की। 'राख' (1989) में उनके प्रदर्शन ने उन्हें विशेष उल्लेख श्रेणी में राष्ट्रीय फ़िल्म पुरस्कार दिलाया। उन्होंने 1990 के दशक में 'दिल' (1990), 'राजा हिन्दुस्तानी' (1996) सहित कई व्यावसायिक रूप से सफल फ़िल्मों में अभिनय करके ख़ुद को एक प्रमुख अभिनेता के रूप में स्थापित किया।

1999 में उन्होंने आमिर खान प्रोडक्शंस की स्थापना की, जिनकी पहली फ़िल्म 'लगान' (2001) को सर्वश्रेष्ठ विदेशी भाषा की फ़िल्म के लिए अकादमी पुरस्कार के लिए नामांकित किया गया था, और उन्हें सर्वश्रेष्ठ लोकप्रिय फ़िल्म के लिए राष्ट्रीय फ़िल्म पुरस्कार और दो और फ़िल्म फेयर पुरस्कार अर्जित किये।

चार साल के अन्तराल के बाद, खान फिर से फ़िल्मों में प्रमुख भूमिकाओं में दिखाई देने लगे, विशेष रूप से 'फना' (2006) और 'रंग दे बसंती' (2006) आदि। उन्होंने 'तारे ज़मीन पर' (2007) के साथ अपने निर्देशन की शुरुआत की, जिसने उन्हें सर्वश्रेष्ठ फ़िल्म और सर्वश्रेष्ठ निर्देशक के लिए फ़िल्म फेयर पुरस्कार जीता।

खान की सबसे बड़ी व्यावसायिक सफलता 'गजनी' (2008), '3 इडियट्स' (2009), 'धूम 3' (2013), 'पीके' (2014), और 'दंगल' (2016) के साथ आयी। जिनमें से प्रत्येक ने सबसे ज़्यादा कमाई करने वाली भारतीय फ़िल्म होने का रिकॉर्ड बनाया। दंगल के लिए फ़िल्म फेयर में खान ने अपना तीसरा सर्वश्रेष्ठ

अभिनेता का पुरस्कार जीता। अपनी कई फ़िल्मों में विभिन्न प्रकार के पात्रों को बेहतर ढंग से मूर्त रूप देने के लिए वे अपने शरीर की संरचना में काफ़ी परिवर्तन लाये। 'लगान', 'दंगल' आदि फ़िल्में इसके उदाहरण हैं।

उन्होंने टेलीविज़न टॉक शो 'सत्यमेव जयते' को भी बनाया और होस्ट किया। हाल ही में निकली उनकी फ़िल्म 'लाल सिंह चड्ढा', एक साधारण आदमी की असाधारण यात्रा है जो दर्शकों को प्यार, गर्मजोशी, खुशियों से भर देगी और आपको हँसा भी देगी।

काजोल–काजोल (5 अगस्त, 1974), हिन्दी सिनेमा की सबसे सफल अभिनेत्रियों में से एक हैं। वे छह फ़िल्म फेयर पुरस्कारों सहित कई प्रशंसाओं की प्राप्तकर्ता हैं। 2011 में, उन्हें भारत सरकार द्वारा पद्मश्री से सम्मानित किया गया था।

एक फ़िल्मी परिवार में काजोल का जन्म हुआ। उनके माँ-बाप तनुजा और शोमू मुखर्जी हिन्दी सिनेमा के सितारे थे और उनकी मौसी नूतन 60-70 के दशक की बेहतरीन अभिनेत्री थीं। प्रमुख अभिनेत्री रानी मुखर्जी इनके रिश्तेदार है और हिन्दी फ़िल्मों के प्रमुख कलाकार अजय देवगन से काजोल की शादी हुई है।

काजोल ने अपने अभिनय की शुरुआत 'बेखुदी' (1992) से की जब वह स्कूल में पढ़ रही थी। बाद में उन्होंने अपनी पढ़ाई छोड़ दी, और शाहरुख खान के साथ 'बाजीगर' (1993),

और 'ये दिल्लगी' (1994) में अभिनय किया। इन फ़िल्मों ने व्यावसायिक सफलता हासिल की। खान के साथ अभिनीत भूमिकाओं ने उन्हें 1990 के दशक में एक प्रमुख स्टार के रूप में स्थापित किया। सबसे ज्यादा कमाई करने वाली रोमांस फ़िल्म 'दिलवाले दुल्हनिया ले जायेंगे' (1995) और 'कुछ कुछ होता है' (1998) उनकी फ़िल्मी करियर के मील के पत्थर साबित हुए। सर्वश्रेष्ठ अभिनेत्री के लिए काजोल ने दो फ़िल्म फेयर पुरस्कार अर्जित किये।

'गुप्त : द हिडन ट्रुथ' (1997) और 'दुश्मन' (1998) में एक बदला लेने वाले एक मनोरोगी हत्यारे की भूमिका निभाने के लिए उन्हें आलोचनात्मक प्रशंसा भी मिली। नकारात्मक भूमिका में सर्वश्रेष्ठ प्रदर्शन के लिए नामांकित होने और फ़िल्म फेयर पुरस्कार जीतने वाली पहली महिला अभिनेता हैं काजोल।

1998 में, काजोल ने उस वर्ष की तीन सबसे अधिक कमाई करने वाली प्रस्तुतियों : 'प्यार किया तो डरना क्या', 'प्यार तो होना ही था' और 'कुछ कुछ होता है' में अभिनय करके हिन्दी सिनेमा की एक प्रमुख अभिनेत्री के रूप में अपनी स्थिति को मज़बूत किया। इनमें से सभी को सर्वश्रेष्ठ फ़िल्म के फ़िल्म फेयर पुरस्कार के लिए नामांकित किया गया था।

'राजू चाचा', 'कभी ख़ुशी कभी ग़म', 'कुछ खट्‌टी कुछ मीठी', 'दिल क्या करें', 'फना', 'यू मी और हम', 'माई नेम इज़ खान' आदि उनकी कतिपय यादगार फ़िल्में हैं। डॉयलाग बताते वक़्त ध्यान देकर बनानेवाला समय निर्धारण और सूक्ष्म से सूक्ष्म भावाभिव्यक्ति के कारण काजोल के अभिनय की फ़िल्म समीक्षक अक्सर दाद देते हैं।

विद्या बालन–विद्या बालन (1 जनवरी, 1979) एक भारतीय अभिनेत्री हैं जो महिला प्रधान फ़िल्मों में अपनी भूमिकाओं के साथ हिन्दी सिनेमा में महिलाओं के चित्रण में बदलाव लाने के लिए जानी जाती हैं। उन्हें राष्ट्रीय फ़िल्म पुरस्कार और छह फ़िल्म फेयर पुरस्कारों सहित कई पुरस्कारों से नवाज़ा गया है। उन्हें 2014 में भारत सरकार द्वारा पद्मश्री से सम्मानित किया गया था।

विद्या का जन्म 1 जनवरी, 1979 को मुम्बई में एक तमिल ब्राह्मण परिवार में हुआ था। विद्या ने कम उम्र से ही फ़िल्म में करियर बनाने की इच्छा जताई। मुम्बई विश्वविद्यालय से समाजशास्त्र में मास्टर डिग्री हासिल करने के दौरान, उन्होंने फ़िल्म में करियर शुरू करने के कई असफल प्रयास किये और इससे निराश न होकर उन्होंने टेलीविज़न विज्ञापनों और संगीत वीडियो में अभिनय किया। उन्होंने बंगाली फ़िल्म 'भालो थेको' (2003) में अभिनय करके अपनी फ़िल्म की शुरुआत की। इसके बाद 'परिणीता', 'लगे रहो मुन्ना भाई' (2006) और 'भूल-भुलैया' (2007) में व्यावसायिक सफलताएँ मिलीं। लेकिन रोमांटिक कॉमेडी 'हैं बेबी' (2007) और 'किस्मत कनेक्शन' (2008) में उनकी भूमिकाओं को नकारात्मक समीक्षा मिली।

विद्या ने लगातार पाँच व्यावसायिक सफलताओं में अभिनय करके खुद को स्थापित किया। ये फ़िल्में हैं 'पा' (2009), 'इश्क़िया' (2010), थ्रिलर फ़िल्म 'नो वन किल्ड जेसिका', 'कहानी' (2012) और बायोपिक 'द डर्टी पिक्चर' (2011)। इनमें से आख़िरी पर उन्होंने सर्वश्रेष्ठ अभिनेत्री का राष्ट्रीय फ़िल्म पुरस्कार जीता।

इसके बाद उन्होंने 'तुम्हारी सुलु' (2017) में एक रेडियो जॉकी और 'मिशन मंगल' (2019) में एक वैज्ञानिक के रूप में अभिनय किया। बाद वाली उनकी सबसे अधिक कमाई करने वाली फ़िल्में हैं–'शकुन्तला देवी' (2020), 'शेरनी'

(2021), 'जलसा' (2022) आदि।

आलोचकों का कहना है कि विभिन्न भूमिकाओं में अपनी अद्भुत अदाकारी का प्रदर्शन करते हुए विद्या ने हिन्दी फ़िल्मी नायिकाओं को नये ढंग से परिभाषित किया है।

हिन्दी फ़िल्म उद्योग सशक्त, सक्षम और समर्थ कलाकारों से भरपूर है। इसलिए हिन्दी फ़िल्मों में आजकल नये-नये प्रयोग होते आ रहे हैं जो हिन्दी फ़िल्मों को विश्व स्तर पर अग्रणी स्थान दे रहे हैं।

फ़िल्म समीक्षा

फ़िल्म समीक्षा आजकल समीक्षा का एक अनिवार्य अंग बन गयी है। सिनेमा सबसे लोकप्रिय मनोरंजक उपाधि है, इसलिए उसकी समीक्षा भी लोकप्रिय हो गयी है। लेकिन कहानी और कविता के समान केवल साहित्यिक तत्त्वों के आधार पर फ़िल्मी समीक्षा सम्भव नहीं। क्योंकि फ़िल्म में कला का अंश जितना है उतना तकनीक भी है। सिनेमा कला और तकनीक का मिश्रण है। इसलिए फ़िल्म समीक्षक को साधारण प्रेक्षक के समान 'सीन-दर्शन' मात्र नहीं करना है। उसे फ़िल्म की कथा गति के साथ-साथ कलात्मक एवं तकनीकी कार्यों पर ध्यान देना है। अभिनय, पटकथा, संवाद वस्तु, छायांकन, सम्पादन, साज-सज्जा, नृत्य, संगीत आदि सिनेमा के छोटे-बड़े सारे घटकों पर ज़ोर देना है। इन सारे विषयों पर ध्यान केन्द्रित करना कठिन कार्य है। सफल समीक्षा के लिए तो इन सारे घटकों का अवबोध अनिवार्य है, पर सबसे महत्त्वपूर्ण एवं गम्भीर घटक है निर्देशन। इसलिए समीक्षक को आद्यंत निर्देशन की विवेचना करनी है, निर्देशक के गुण-दोषों का मूल्यांकन करना है।

फ़िल्मी समीक्षक को आलोच्य फ़िल्म का मन लगाकर दर्शन करना चाहिए। फ़िल्म देखते वक़्त फ़िल्म के संवेदन पक्ष के साथ-साथ तकनीकी पक्ष पर भी ध्यान देना होगा। फ़िल्मी समीक्षा के अवसर पर समीक्षक को आलोच्य फ़िल्म का एक संक्षिप्त परिचय देना है और आवश्यक है तो फ़िल्म का संक्षिप्त कथा सार भी दे सकते हैं। फ़िल्म के कथा सूत्र का विवेचन करना है और मूल संवेदना का मूल्यांकन करना है। कथावास्तु विश्लेषण में पटकथा की भूमिका का, पटकथा के गुण-दोषों का विवेचन करना है। पटकथा के साथ संवाद-योजना की भी समीक्षा करनी है कि संवाद वास्तु, विषय, पात्र एवं भाव के अनुकूल हो, उसमें ज़िन्दगी की गन्ध हो, सशक्त एवं प्रभावशाली हो। फिर अभिनेताओं के अभिनय का विवेचन करना है कि उन्होंने अपने-अपने पात्रों के प्रति न्याय किया है या

नहीं। नायक-नायिका की भूमिका निभानेवालों और अन्य श्रेष्ठ अभिनेताओं पर विशेष ध्यान रखना है और यह भी परखना है कि फ़िल्म की सफलता में अभिनय का महत्त्व कितना है। इसके बाद छायांकन की निपुणता और सम्पादन कला की समीक्षा करनी है। फिर नृत्य, संगीत की आस्वादन क्षमता पर विचार करना है और गीत योजना के औचित्य पर भी विचार करना है। फ़िल्म संघर्षात्मक एवं विस्फोटात्मक है तो संघर्ष और विस्फोट के तनाव का मूल्यांकन करना है। इतिहास, पुराण, सेना या किसी विशेष वर्ग या जन-जाति से सम्बन्धित सिनेमाओं की समीक्षा करते वक़्त परिवेश चयन की उपयुक्तता पर ध्यान देना है। हरेक सिनेमा के पहलुओं और प्रसंगों में अन्तर ज़रूर होगा। समीक्षक को आलोच्य सिनेमा के घटकों के अनुसार समीक्षा करनी है। फ़िल्म को आकर्षक, रोचक और सरस बनाने में सम्पादन की भूमिका की चर्चा करनी है। अन्त में फ़िल्म निर्देशन का, निर्देशक की क्षमता का विवेचन करना है। सिनेमा के अनिवार्य घटकों के संयोजन में, विषय प्रस्तुतीकरण में, पात्र-सृष्टि में, अभिनय नियन्त्रण में, भाव सम्प्रेषण में, भाव एवं तकनीक की नूतनता में तथा अन्य घटकों के एकीकरण में निर्देशक की सफलता-विफलता का मूल्यांकन करना है। सभी पहलुओं की निष्पक्ष रूप से आलोचना करनी है।

यहाँ फ़िल्म समीक्षा के कुछ उदाहरण दिये गये हैं। इन्हें नमूने के रूप में स्वीकार करते हुए अपने-अपने नवीन दृष्टिकोण के अनुसार नयी, पुरानी फ़िल्मों की समीक्षा कीजिए।

पा

निर्माता : सुनील मनचन्दा, ए.बी.कॉर्प

निर्देशक : आर.बाल्की

गीत : स्वानंद किरकिरे

संगीत : इलैयाराजा

कलाकार : अमिताभ बच्चन, अभिषेक बच्चन, विद्या बालन, अरुन्धती नाग, परेश रावल।

'प्रोजेरिया' नामक बीमारी से पीड़ित एक बालक की कथा को लेकर फ़िल्मायी गयी है 'पा'। प्रोजेरिया एक ऐसी बीमारी है जिसके कारण

व्यक्ति अपनी उम्र से कहीं अधिक उम्रवाला दिखाई देता है। ऐसे ही एक किरदार की भूमिका निभायी है भारतीय सिनेमा के महान अभिनेता अमिताभ बच्चन ने जिनके अभिनय जीवन में 'ऑरो' मील का पत्थर रहेगा, कोई सन्देह नहीं।

तेरह वर्षीय ऑरो 'प्रोजेरिया' से पीड़ित है जिसके कारण उसकी हालत पैंसठ वर्षीय वृद्ध जैसी रहती है। पर दिमाग़ी तौर पर ऑरो एक मेधावी छात्र है। उसका ज़िन्दादिल स्वभाव उसके दोस्तों को बेहद पसन्द है और वे ऑरो की हालत का कभी मज़ाक़ नहीं उड़ाते, न ही ऑरो को लाचार दिखाकर उसके प्रति हमदर्दी जताने की कोशिश करते। ऑरो बहुत ही तेज़ बच्चा है, वह नेट पर चैटिंग करता है, गणित के सवाल चुटकियों में हल करता है, जाकी चान की फ़िल्म देखता है और प्ले स्टेशन पर गेम खेलता है।

ऑरो के घर में उसकी मम्मी डॉक्टर विद्या और नानी है। उसे अपने पिता के बारे में कोई जानकारी नहीं। स्कूल के पुरस्कार वितरण समारोह में उसकी मुलाक़ात युवा नेता अमोल आर्त्रे (अभिषेक बच्चन) से होती है। ऑरो की हालत पर आर्त्रे को पहले सहानुभूति होती है, लेकिन बाद में ऑरो की दिमाग़ी क्षमता पर वे काफ़ी प्रभावित होते हैं। दोनों अक्सर नेट पर चैटिंग करते हैं। बाद में अपनी माँ से ऑरो को पता चलता है कि अमोल उसके पिता हैं। शादी के पहले उसकी माँ विद्या अमोल से गर्भधारण करती है और अमोल नहीं चाहते थे कि उस समय उसका कोई बच्चा हो। वे ऑरो की माँ से एबॉर्शन की बात करता है जिसके कारण दोनों के बीच अनबन पैदा हो जाती है। विद्या अमोल से दूर चली जाती है और अमोल से उसके बाद वह कोई सम्पर्क नहीं रखती। वह अपने बच्चे को जन्म देती है और यह जानते हुए कि बच्चे को 'प्रोजेरिया' है, वह बड़ी हिम्मत और वात्सल्य के साथ उसकी परवरिश करती है। विद्या और उसकी माँ ने किंग कांग, कम्प्यूटर, मिर्ची पसन्द करनेवाले और किचड़ी से नफ़रत करने वाले युवा लड़के के चारों ओर एक प्यार भरी और सामान्य दुनिया बनाई। ऑरो का सपना है कि उसके माता-पिता फिर से एक हो जाये और वह अपने मक़सद में कामयाब हो होता है।

निर्देशक बाल्की ने छोटे-छोटे दृश्यों के

द्वारा फ़िल्म में हास्य, व्यंग्य और इमोशन पैदा किया है। फ़िल्म की कहानी ऐसी है कि इसमें रोने-धोने के कई दृश्य शामिल कर सकते थे। पर निर्देशक ने सीमा में रहकर हर दृश्य को प्रस्तुत किया है। ऑरो के किरदार को जिस तरह हल्के-फुल्के अन्दाज़ में पेश किया गया है, वही इस फ़िल्म को ख़ास बनाता है।

अमिताभ बच्चन और अभिषेक बच्चन के बीच ऐसे कई दृश्य हैं जो काफ़ी मज़ेदार हैं। उसी तरह ऑरो और विद्या के बीच के रिश्ते को भी ख़ूबसूरती से प्रस्तुत किया है। अपनी नानी के साथ ऑरो की नोक-झोंक दर्शकों का मन छू लेती है।

फ़िल्म की सबसे बड़ी विशेषता अमिताभ बच्चन का उम्दा अभिनय है। ऑरो के किरदार में अमिताभ बच्चन एक मधुर प्रदर्शन देते हैं। अभिनय, हावभाव और आवाज़ में कहीं भी पुराने 'अमिताभ बच्चन' नज़र नहीं आते। अक्सर अपने किरदारों द्वारा बच्चन आपको नियमित अन्तराल पर आश्चर्यचकित करते रहते हैं और 'पा' उन ख़ूबसूरत आश्चर्यों में से एक है जो हमेशा के लिए आपकी स्मृति में अंकित रहेगी। अभिषेक बच्चन ने युवा नेता का हाव-भाव अच्छी तरह से पेश करने की कोशिश की है, पर कहीं-कहीं वे इसमें फिट होने के लिए बहुत मेहनत करते हुए दिखाई देते हैं। वहीं विद्या बालन बॉलीवुड माँ की छवि को एक दुर्लभ गरिमा देती हैं। अपनी नियन्त्रित भावनाओं के प्रदर्शन

के साथ एक साहसी माँ की भूमिका उसके हाथों में सुरक्षित दिखाई देती है। ऑरो की नानी के रूप में अरुन्धती नाग का अभिनय भी काफ़ी सराहनीय है। एकमात्र अभिनेता जो व्यर्थ लगता है वह अभिषेक के पिता के रूप में परेश रावल हैं।

संगीत निर्देशक इलैयाराजा और गीतकार स्वानंद किरकिरे ने 'उठी-उठी-मुड़ी -मुड़ी' गीत दिल को छू लेता है। गीत को शान और शिल्पा राव दोनों ने उसकी पूर्णता तक पहुँचा दिया है। हिचकी...हिचकी...वाला गाना सभी उम्र के लोग समान रूप से पसन्द करते हैं। आर.बाल्की की कहानी सरल है क्योंकि यह ऑरो और उसके पिता के बीच के बन्धन को दर्शाती है। लेकिन उसमें आये कुछ उप प्रसंग मुख्य कथा-प्रसंग से बहुत कुछ छीन लेते हैं।

सिनेमैटोग्राफ़ी सरल और सन्तोषजनक थी, हालाँकि सम्पादन में कुछ और सावधानी बरतनी थी।

फ़िल्म में मेकअप कलाकारों की जितनी भी तारीफ़ की जाय काफ़ी नहीं होगी। एक अनुभवी अभिनेता को एक बच्चे में बदलना एक कठिन काम रहा होगा और अमिताभ के ऑरो लुक को इतना वास्तविक बनाने के लिए क्रिस्टियन टिनस्ले और डोमिनि टिल की तारीफ़ की जानी चाहिए।

सचमुच यह सिनेमा एक नया प्रयोग है जिसमें निर्देशक पूरी तरह सफल हुए हैं।

रावण

निर्माता और निर्देशक : मणिरत्नम
गीत : गुलज़ार
संगीत : ए.आर.रहमान
कलाकार : अभिषेक बच्चन, ऐश्वर्या रॉय, विक्रम, गोविन्दा, निखिल द्विवेदी, रविकिशन

विख्यात निर्देशक मणिरत्नम द्वारा निर्देशित फ़िल्म है 'रावण' जो रामायण को आधार बनाकर फ़िल्मायी गयी। रामायण की कहानी को आधुनिक सन्दर्भों से जोड़कर दिखाने की

कोशिश इसमें हुई है। अनेक चेहरेवाले रावण को एक अलग नज़रिये से दिखाने का प्रयास निर्देशक की तरफ़ से हुआ है।

फ़िल्म शुरू होती है रामायण के उस क़िस्से से जिसमें रावण द्वारा सीता का अपहरण किया जाता है। बीरा (अभिषेक बच्चन) जिसे रावण के रूप में दिखाया गया है, देव (विक्रम) की पत्नी रागिनी (ऐश्वर्या रॉय) का अपहरण कर उसे घने जंगल में ले जाता है। विक्रम को हम राम के किरदार के साथ जोड़कर देख सकते हैं जो एक हनुमन्नुमा किरदार गोविन्दा और अपनी सेना के साथ अपनी पत्नी को छुड़ाने जाता है।

दरअसल रामायण का यह प्रसंग मणिरत्नम ने सीता के नज़रिये से दिखाया है। यह एक नया और बेहतरीन एंगल है। चौदह दिन तक बीरा के साथ रहने पर रागिनी को अहसास होता है कि जिसे वह रावण के समान क्रूर समझ रही है वह इतना बुरा नहीं है। उस रावण के अन्दर भी एक राम है जो स्त्री को मर्यादा देना जानता है और अपने पति जिसे वह राम का दर्जा देती है, कहीं-न- कहीं ग़लत है। अच्छाई के पाले से निकलकर जब वह बुराई के साथ खड़ी होती है तो दोनों को विभाजित कर देनेवाली रेखा धुँधली होती नज़र आती है। इस बात का समर्थन करने के लिए कई घटनाओं का चित्रण फ़िल्मकार करते तो हैं, पर वे पूरी तरह दर्शक को विश्वास नहीं दिला पा रहे हैं।

बीरा रागिनी का अपहरण इसलिए करता है क्योंकि पुलिसवालों ने उसकी बहन के साथ बलात्कार किया था। बहन ने आत्महत्या की थी और बीरा के अन्दर पुलिसवालों के प्रति प्रतिशोध की आग सुलग उठी। इंटरवल तक रागिनी की नज़रों में अपना पति हीरो है। बाद में उसकी नज़रों में वह खलनायक बन जाता है।

फ़िल्म में कई घटनाएँ ऐसी हैं जो रामायण से मेल खाने के लिए रखी हुई हैं। बीरा के हाथों से रागिनी को छुड़ाने के बाद देव रागिनी से पूछता है कि इन चौदह दिनों में एक बार भी बीरा उसे छुआ तक नहीं? रागिनी जब ना कहती है तो देव उस पर विश्वास नहीं करते और उससे पोलीग्राफ टेस्ट (सीता की अग्नि परीक्षा) करने को कहते हैं। देव को पता है कि ऐसा कहने पर रागिनी उसे छोड़कर बीरा के पास जायेगी और इस तरह वे बीरा को पकड़ पायेंगे। इस घटनाक्रम के कारण फ़िल्म का क्लाइमेक्स अच्छा बन पड़ा है।

फ़िल्म पूर्वार्ध में काफ़ी धीमी गति से चलती है। इंटरवल के बाद घटनाक्रम तेज़ी से बढ़ता है। मणिरत्नम हर शॉट को बेहतरीन तरीक़े से फ़िल्माने में माहिर

हैं और 'रावण' में दर्शकों को आकर्षित करनेवाले कुछ उम्दा शॉट हैं ज़रूर। प्रकृति का उन्होंने अच्छा उपयोग किया है। धुप, हरे-भरे जंगल, नदी, झरने, बारिश, धुन्ध आदि का बेहतरीन चित्र फ़िल्म में ह। इसके लिए सिनेमेटोग्राफ़र सन्तोष सिवान और निर्देशक मणिरत्नम विशेष तारीफ़ के पात्र हैं।

अभिषेक बच्चन अपने किरदार के साथ ईमानदारी बरतने में पूरी तरह सफल नहीं हुए। उनके पास कई अच्छे अवसर थे जिनका उन्होंने पूरी तरह लाभ नहीं उठाया। कई जगह उनका अभिनय अमिताभिनय बन जाता है। अपने चरित्र के अनुकूल ख़ौफ़ पैदा करने में वे सक्षम नहीं निकले। पूरी फ़िल्म में ऐश्वर्या रॉय का अभिनय सबसे अच्छा लगता है। विक्रम के किरदार के साथ निर्देशक ने न्याय नहीं किया। उन्हें हीरो बनाकर रख दिया। फ़िल्म का संगीत लोकप्रिय नहीं बन पाया, पर गीतों का फ़िल्मांकन बेहतरीन तरीक़े से किया गया है। संवाद भी औसत स्टार का ही कह सकते हैं।

'रावण' की परत में कई अर्थ छिपे हैं। दर्शक अपनी-अपनी विचारधारा और विश्वास के अनुसार उनसे सहमत या असहमत हो सकते हैं।

लगान

निर्देशक : आशुतोष गौरीकर
निर्माता : आमिर खान
संगीत : ए.आर.रहमान
कलाकार : आमिर खान, ग्रेसी सिंह, राचेल शेली

फ़िल्म 1893 के भारत के एक गाँव की कहानी कहती है। 1893 में भारत इंग्लैंड का उपनिवेश था। भूख से मर रहे देशी किसानों को अपनी भूमि की सुरक्षा के लिए ब्रिटिश सैनिकों को एक कर का भुगतान करना पड़ता था, जिससे उनकी अधिकांश फ़सल

का मूल्यांकन करें। वह मूल्यांकन निम्नलिखित बिन्दु के आधार पर दें–

अभिनेता, संरचना, छायांकन और प्रकाश व्यवस्था, संगीत, छायांकन यानि फ़ोटोग्राफ़ी, सम्पादन, कथा-पटकथा-संवाद, निदेशन।

सिनेमा मनोरंजन का माध्यम होने के साथ सामाजिक ज्ञान का ज़रिया भी है। फ़िल्मों द्वारा हम समाज में होनेवाली विभिन्न गतिविधियों से रूबरू हो जाते हैं दूसरे शब्दों में कहें तो सिनेमा समाज का दर्पण ही है। इसलिए इसके अध्ययन को गम्भीरता से लें।